文春文庫

松風の家

（上）

宮尾登美子

文藝春秋

〈上巻　目次〉

松風の家　上巻

後之伴家系図

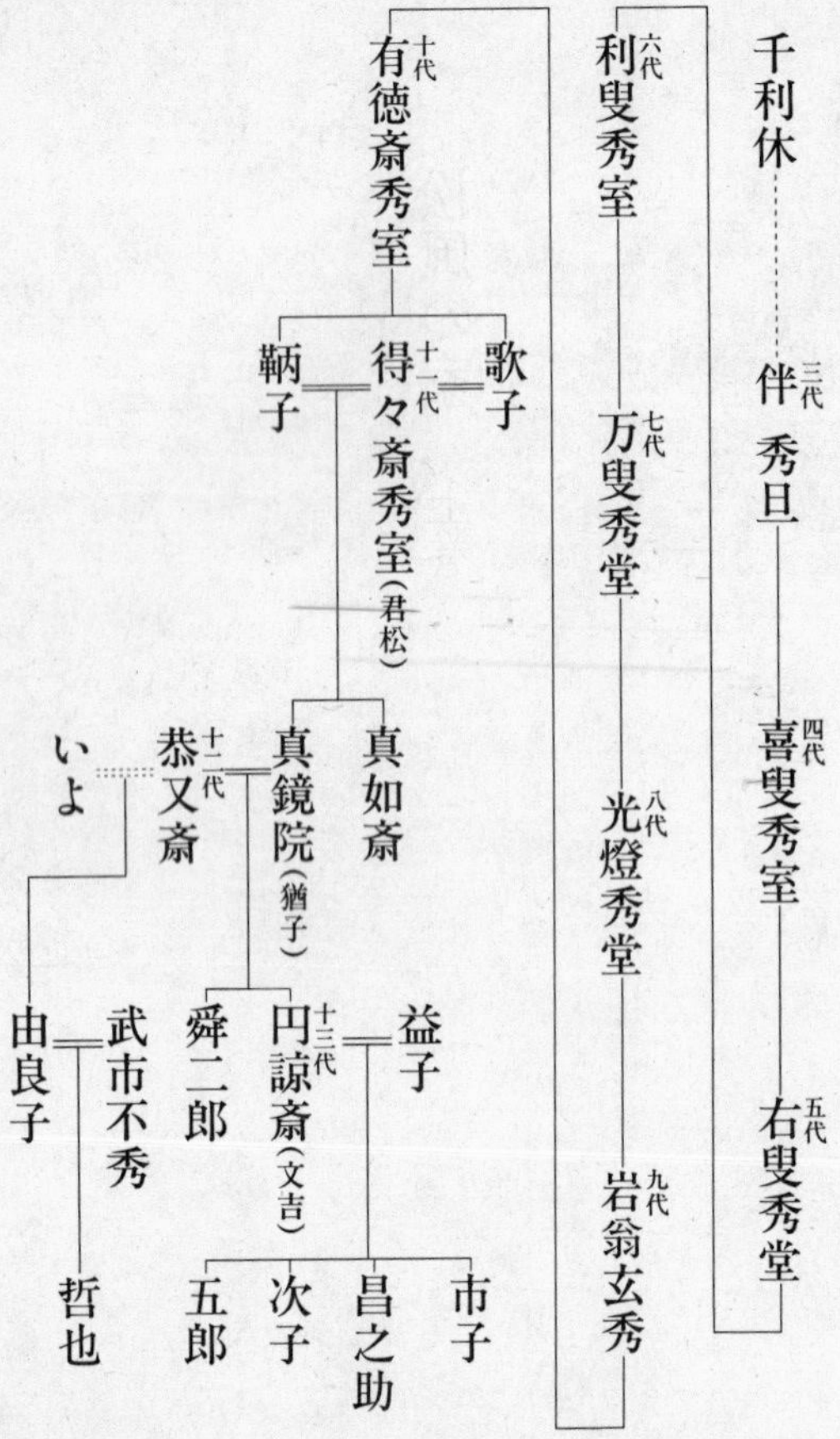
千利休
三代 伴 秀日
四代 喜叟秀室
五代 右叟秀堂
六代 利叟秀室
七代 万叟秀堂
八代 光燈秀堂
九代 岩翁玄秀
十代 有徳斎秀室
歌子
十一代 得々斎秀室（君松）
鞆子
真如斎
真鏡院（猶子）
十二代 恭又斎
いよ
益子
十三代 円諒斎（文吉）
舜二郎
武市不秀
由良子
市子
昌之助
次子
五郎
哲也

作図／原理

第一章　秘めごと

その朝、由良子は誰よりも早く起き、僅《わず》か乍《なが》らも茶花の畑とされている、母、真鏡院猶子《ゆうこ》の隠居所の裏庭へ足音を忍ばせて入って行った。

もう暫《しばら》く、誰も手入れをしないと見えて、種を播《ま》いたはずの肝腎《かんじん》の花よりも雑草のほうが高く伸び上り、ただの草の畑と見紛《みまご》うばかりに荒れてはいるが、由良子はそのなかから昨日昼間、ひそかに見つけてあった秋明菊を一本剪《き》り取った。早起きの狙《ねら》いどおり、花の芯《しん》には大粒の涙のような露を含んでおり、それをこぼさぬよう高く捧げ持って奥の家に帰り、椹《さわら》の水桶《おけ》の割蓋《わりぶた》を取ってそうーっと浸《つ》けた。

陽《ひ》の登らぬうちに一走り、聚光院《じゅこういん》に眠る亡き夫の墓前にこれを供えようという心積りの早起きなのだけれど、十月の朝の靄《もや》も薄れ始めた今、もう庭にもはしり元にも人影が動いていて、こっそりとは抜けられそうもなかった。

この家の朝は、「早起きも修行のひとつ」がなお生きていて、辺りが明るくなった頃には家の内外の掃除はすっかり済ませ、客のあるなしに拘《かかわ》らず露地には水を打って、今日一日の始まりをしっかりと示しておかねばならぬ。これらは表の、業躰《ぎょうてい》さん、と呼ぶ内弟子たちの仕事だが、一つ屋根の下に起居するこの家の家族も朝寝は許されず、洗面身じまいを済ませた者から順に御祖堂《おんそどう》と呼ぶ先祖の像を祀《まつ》る部屋に詣《まい》り、そのあと業躰たちの点《た》てた朝茶を一服喫してから茶の間に顔を揃《そろ》えることになる。

邸内の隠居所に一人住む今年六十歳の真鏡院は、いまだにこの家の家長の重みがあって、切下げ髪の頭は一筋のこぼれも見せず、背筋をしゃっきりと伸ばしていつも卓袱台《ちゃぶだい》の真中の位置に着く。明治も末の四十二年、十月のこの朝の食卓は殊更賑《ことさらにぎ》やかで、真鏡院の差向い、両脇には由良子の兄に当る当主の円諒斎《えんりょうさい》とその妻益子、夫婦の長男、十七歳の昌之助、長女市子、次女次子、末子で十歳の五郎が顔を揃え、端近くに由良子と息子の哲也が並べば欠ける頭はもう無いが、子供たちは朝粥《あさがゆ》の一椀を掻《か》き込むなり皆、学校へと飛び出してゆき、後には大人四人、珍しく話が弾んでいる。

日頃口数の少ない円諒斎も今朝は由良子にやさしい目を向けて、

「今晩のことは、うちの仲秀保がすべて取仕切ってくれるさかいな。お前は何も心配要らへん。そやな、自分の着るもんだけ揃えておおきいな」

といえば、母親だけに真鏡院は、

「そや、そや。由良子あんたは裾《すそ》模様一枚も持ってへんなんだな。私の着やはるか。一寸高等《こうと》やけど、寸法はそのままで合うと思うわ」

と勧め、由良子の顔を見上げながら、

「髪はどないおしやす。髪結さん呼ぶか、それともあんた自分で行て来やはるか」

というのへ由良子は軽く手を振って、

「そんなもん、一人で結います。毎日結うてるのどすもん。どうぞ大袈裟《おおげさ》にせんといてくれやす」

と頼めば、円諒斎と真鏡院は顔を見合わせて、

「そうやったなあ」

とうなずいた。

この家では、今晩遅く、今年後厄《あとやく》の由良子が二度目の婚礼を挙げる手はずになっており、相手はすぐ向いの本法寺の坊に住む益子の実弟、北盛行であるところから極く極く内輪で、ということになっている。十月は名残りの月で、花も咲き残りになるけれど、由良子は十四歳の哲也を抱えているし、盛行も三歳の克一を連れていて、しかもこの縁組は兄妹、姉弟同士の昵懇《じっこん》の間柄という理由も加わり、盃《さかずき》はほんの真似ごと、列席者は近親者だけで済ませ、親戚筋へは明日、二人で挨拶《あいさつ》に廻るという略しかたになってい

るのであった。

話が決まったのはつい十日ほど前のことで、実はまだ哲也にも明かしてはおらず、それに就ては真鏡院が、

「私から話したほうがよろしいやろ。のちほど学校から戻《も》んでおいでたらよう言うて聞かせまひょ」

と請合ってくれ、次いで盛行のほうの支度には、

「益子さん、あんたちょっと盛さんのとこ、覗《のぞ》いて上げてくれはりますか」

と嫁のほうに向くと、それまで視線定まらぬふうだった益子はうっそりと目を上げ、ぐるりと天井を見廻してのち、

「へえ」

と返事しただけであった。

その常ならぬ様子を見て、円諒斎から、

「益子はまだ病気が十分やないようやさかい、今晩は遠慮さします。盛さんのほうは仲があんじょう計ろうてくれますやろ」

と宥《なだ》め、益子の背を軽く叩《たた》きながら、

「あんた、二階でじっと寝といない。さあわし連れてってって上げよ」

と介添すると、益子は素直に夫に従い、そろそろと茶の間から出て行った。

続いて真鏡院も湯呑みを置いて立てば、これで茶の間の人数は散り、由良子はいまのうちに、と階段下の小部屋に入り、手早く身支度を調えた。小さな鏡箱の中に、目ぼしい化粧道具もない日頃の習慣では、身づくろいすることも格別無いが、それでも襷《たすき》前掛けを外し、色別珍を白足袋に穿《は》き替え、羽織だけは着て懐《ふところ》に寺への祝儀袋を忘れず、今朝ほど剪った水桶の秋明菊を油紙に包んで通い門から通りに出た。花びらの露は案の定、転がったのか消えており、墓前では改めて露を打とうと考えて右の袂《たもと》には茶筅《ちゃせん》の古いのを入れてある。

門の通い戸の枢《とぼそ》を落すとき、由良子はいつも外出の折にそうするように、表の兜門《かぶともん》のほうをちょっと振返った。十月の朝の陽ざしのなかに、宝鏡寺から北へ抜けるこの通りはしんと静かで、路上には昨夜の木枯しの名残りか、落葉がこぼれている。兜門は石畳一つ奥にあるので、ここからは見えないが、門を取巻く生垣の緑を見たとき、由良子が子供の頃から予感として抱いていた思いが、今度の結婚によっていっそう色濃く蘇《よみがえ》って来るように思えた。

女は家に男兄弟のある限り、生家が死場所ではないが、由良子はずっと昔から、自分は生涯この垣の内から外に出ず、ここで終りを迎える運命ではないかと考えていて、最初の結婚のとき、それが正しく的中したことを思った。夫は武市不秀《ぶしゅう》という茶名を持つ業躰で、婚礼の日、円諒斎は涙を流しながら二人の手を取って、

「これからは死ぬまで、わしのねきでわしを助けて行ってや。一緒に家を盛立ててや。頼むぜ」

と懇願し、由良子は心のうちで、私もとうとうこの家に根付かされてしもうた、と思ったものであった。

それが決して嫌というではなく、むしろ身内ばかりのなかで暮す気易さのほうが勝っていたけれど、若夫婦も加わって一族打集《うちつど》う朝餉《あさげ》の賑やかさも僅か三年で、不秀はこの世を去ってしまった。以後は、残された哲也を育てながら、この家の台所を任されて来たが、北家から兄嫁も入っていることではあり、時折ふっと、行末のおぼつかなさを感じ、哲也の成人を見届けたのちはこの家を出、髪を下ろして尼僧の姿にでも、と考えていた矢先の、今度の縁談であった。

この垣の内は京都上京区の、堀川の大路から東へ一つ入った小川通りに、家を興してから四百五十年余を数える三茶屋のうちの後之伴家《うしろのばんけ》で、すぐ南側には垣一つを接して前之伴家、少し離れた武者小路通りには武者之伴家がある。三家の祖は、茶之湯を大成した千利休《せんのりきゅう》で、数えて三代目の秀旦《しゅうたん》のとき、息子の三兄弟がそれぞれ独立し、三男の秀左が前之伴家を、次男秀守が武者之伴家、そして末弟の秀室が後之伴家を立てて今日に至っている。

京都に旧家は多いが、開祖以来の家職をそのままに守って今日に伝える例をいえばそう多くはなく、賀茂禰宜《ねぎ》神主の岩佐家、和歌師範の冷泉《れいぜい》家等を別にすれば、三伴家がいまその筆頭に数えられるのも茶家という家業のせいもあったに違いない。後之伴家の明日庵《みょうにちあん》は正保三年、秀旦の手によって成り、以後世々代々の当主が明日庵に接して茶室を増築して来たため、現在は兜門から露地にいざなわれて玄関式台に立つと、まず有《ゆう》色軒《しきけん》、その向うに寒霞亭《かんかてい》と溜養軒《りゅうようけん》が並び、奥に明日庵と松隠席《しょういんせき》、梅の井の水元を渡って広間の拙々斎《せっせつさい》、大炉《おおろ》の間、抛杓斎《ほうしゃくさい》、三猿斎《さんえんさい》、剣《つるぎ》の間、と合わせて十の茶室と大小の水屋があり、他に台所と茶の間、そして二階がある。各部屋とも炉を切ってある故に無論来客や稽古にも使うが、空いているときは居間にも寝室にもなり、家族、内弟子、女《おな》子仕《ごし》すべてこの一つ屋根の下に寝起きして混然と暮しているようで、その実は確たる区別がある。即ち、家職に関わる用は表、と呼んですべてに優先し、表に対して奥というのは家族や雑の用で、由良子は小さい頃、いつも、「子供は妄《みだ》りに表に出たらいかん」と言われたものであった。ふしぎなもので、表とは何かよく理解できない年頃ではあっても、釜《かま》の懸っている部屋や、大人が墨を磨って字を書いている場所は厳粛なもの故、心易く近寄ってはいけないという分別だけは持っている。

それだけに、誰もいないとき、家中を一人で歩くと、その広かったこと。近所の家の、表から裏へとさっと一息で通り抜けられる仕組みに較《くら》べると、この家は襖《ふすま》を開けても開けても部屋があり、まるで迷路のように曲りくねっていて、しかもどの部屋からも景色の変った庭が見える。まるでお城のようや、と思い、自分がここの城主の家族の一人として生れた巡り合わせを考えないではいられなかったけれど、由良子のその感じかたには、多分にこの家の長い歴史と深い関わりがあった。

由良子がもの心ついた四、五歳の頃には、幼名文吉と呼んだ四つ上のいまの円諒斎は既に父の恭又斎《きょうゆうさい》から次期家元としての訓練を受けていて、定めしこの家の茶道史もしっかりと叩き込まれていたに違いないが、それ以外にも、祖母の鞆子《ともこ》から兄弟三人、まるで子守唄《うた》のように語って聞かされ、それがいつの間にやら由良子の骨の髄まで浸《し》み透っていたという感じがある。

日頃家族が主として使っている奥というのは、拋筌斎、三猿斎、剣の間で、その他に茶の間のわきの板戸を開けると、倉に接して祖母の寝起きしている陽当りのよい隠居所があった。鞆子は娘の猶子とは姿も心も正反対の、まことに触りの柔かいひとで、ものいいも立居もあまりに静かなので、文吉から、

「お祖母さまはうちの三毛みたいどすなあ」

といわれ、大笑いしたこともある。

由良子はこの祖母の、糸の目がいっそう柔和に見えて、

「子供たち、皆おいなはい」

と部屋に誘ってくれるときが大好きで、

「お祖母さま、今日のお菓子はなに？」

と聞き、

「お菓子の話やおへんえ。ご先祖さんのお手柄の話どすのえ」

とたしなめられ、

「由良子はいずれよそさんへ嫁《かた》づかんならんのやけど、伴家に生れたからには、家のことはよう知っておいてや。覚えといてな」

と頭を撫《な》でてもらい、繰返し祖母の語る後之伴家の由来を聞かされたものであった。

猶子はこの家の娘で、恭又斎は入婿だけれど、鞆子もまた夫、得々斎を養子に迎えており、それだけに家を大事に思う気持は一入《ひとしお》のものがあったと思われる。どこの家でも、世代を子に譲って退いた年寄たちが、その後にさまざま暗に果す役割は大きいが、後之伴家ではとくに、忙しい両親に代って、三人の子達にじっくりとこの家の歴史を伝えるのも、鞆子の重要な任務であったらしい。

昔、利休から引継いだ侘《わ》び茶を宣揚し、孤高を守ろうとしたために不如意の暮しに落ち、乞食秀旦、とまでいわれた三代目以降からは時代の背景もあって茶家も物好きの自由を捨てて仕官の道を望むようになり、秀左は紀州徳川家に、秀室は加賀前田家に仕え、秀守は近衛《このえ》家と関わりを深くし、ずっと貴人大名に添って生きて来たのだと鞆子はいう。茶家の仕官とは、武士のような常勤ではなく、要用の都度召出される仕組みであって、一旦拝命すると大抵長期に亘り、家の安堵《あんど》には有難い手立に違いなかった。

後之伴家では、五代右叟秀堂《うそうしゅうどう》になってさらに伊予松山藩の茶道奉行にも召出され、当主は加賀と伊予を往復する暮しであったと伝えられ、それを鞆子は眠くなるような穏やかな口ぶりでゆったりと語り、

「茶道奉行というのは、ただの茶坊主とは一段違いますのえ。これはもう文吉のほうがよう勉強してますやろけど、お茶は禅と一味どすなあ。そやさかい利休さん以来大徳寺さんにはずっと寄添うて、修行にはここへ入らはったおひともおしたそうな。ただお茶点《た》てて殿さんに差上げるだけやのうて、お茶の心を正しゅうにお伝えせんならん役どころやったさかい、代々の家元はなかなかのご苦労でしたやろ」

と誇をいい、今日まで三伴家軒を並べて続いて来られたのは、血筋を絶やさぬよう養子のやりとりで支え合って来た賜物だと話し、

「古い時代の話のようやけど、うちにとってはここが肝腎え。五、六、七代のお三人が続いて若死なさったことがありました。先ず加賀と伊予とを行《い》たり戻《も》んたりの五代さん、右叟秀堂さんが三十二歳でこの世を去らはりました。そのときお子は十一歳やったそうな。この十一の利叟秀室《りそうしゅうしつ》さんを育てるのに、前之家から六代さんと七代さん、親子して毎日こっちゃへ見えられ、利叟さんをみっちり仕込んでくれはったと聞いてます。その時分はまだ、前之家との垣もおへなんだやろなあ。利叟さんの泣声が聞えたら、前之

家からすぐ親子のどっちゃかのおひとが飛んで来てくれはったそうどすさかいな。

ほしてこの六代の利叟さんは無事に先代の後継いでお大名仕えしてはったそうやけど、夏の真っ盛り、松山藩の江戸屋敷へお伺いしてて、そこで急病で亡くならはりました。まだ三十三歳で、お子はおいやさなんだ。そこで後の七代さんには、前の六代さんの次男坊さん、万叟秀堂《ばんそうしゅうどう》さんが入って継がはりました。そやけどこのお方も、修行半ばの二十五歳ではかのうなられたと聞いてます。

うちでは厄祓《やくばら》いせなあかん、いうて、中庭に地蔵堂建ててな、早速に祈願しやはったそうやけど、その甲斐《かい》あって今度は体の丈夫な、亡くならはったお方の弟さんが十五歳で前から見えられ、無事八代を安堵してくれはりました。残された書付け見ましたら、この方すぐれたお茶人どしたらしおすなあ。お里の、いやお隣の前のお兄さまと一緒に、あれこれ工夫研究して七事式などを拵《こしら》えはったのがこの、光燈秀堂《こうとうしゅうどう》さんどす。五十三歳まで長生き遊ばして、長男の岩翁玄秀《がんおうげんしゅう》さんに九代の家督を譲らはりました」

鞆子はここまでくるといつも二つほど咳《せき》払いし、そして続けて、

「この岩翁さんのときの正月晦日《みそか》に京の町の団栗図子《どんぐりのずし》から火が出ましてな、二日二晩燃え続けて伴家は前も後も丸焼けになりました。そのときの様子は人伝えに私も聞いてますけど、都はいちめん黒焦げの真葛《まくず》ヶ原や。人もぎょうさん死に、物は無《の》うなり、値は上って、そのあとしばらくそれはそれは暮しにくかったて。そやし、よう覚えとおきや

っしゃ。うちの明日庵、松隠、寒霞亭はこの岩翁さんがこんななかで再建しやはったもんどすえ。いまの御祖堂も岩翁さんが骨折って立派に作らはりました。天明の大火いいましてな、建物が出来上ったんは翌《あく》る年の寛政元年やったそうな。このときには利休さんの二百回忌追善茶会を催したと、茶会記にも書いてあります。これが私のお祖父さま。

私が生れた時分には、このお方はもうこの世においやさへなんだんどすけど、没年は六十五歳どすな。墓石にちゃんとそう彫り込んでありますえ。

私の父《とと》さまは、三十五でその後継がれました。家督継ぐときには、わりとこれ、手数なもんどしてな、加賀と松山のお殿さんには水垢離《ごり》取って潔斎してから、ご書状認《したた》め差出さんなりまへん。まあ代替りに職を解かれた例《ため》しはないのやけど、そうやって謹んでお伺い立てて、父《とと》さまは両藩に奉行として出仕してはりました。十代の有徳斎秀室《うとくさいしゅうしつ》さんどす。

このお方は、ずいぶんな物識りどしてなあ、私十四の年に五十七歳で亡くなってしまわれたんどすけど、手が空いてたらいっつもむずかし本を読んどいやした。ご自分でも『喫茶敲門《こうもん》瓦子』という入門書を作らはりましたさかい、これは文吉も習うてますやろ。代々の宗匠さんにはそれぞれお好みのお道具がおして、書付けになってますのやけど、父さま好みでは私は夕顔彫の切合風炉《ふろ》が取分け好きや。これを夕顔台子《だいす》に飾って、夏の盛り、汗の一粒も見せんときちっとお点前《てまえ》なさる父さまのお姿はいまも目に浮んできますえ。白いものの上に黒い絽《ろ》の十徳重ね、小さなお髷《まげ》を結われて姿勢を正し、柄杓《ひしやく》を扱うときなどのお品のよろしかったこと」

と、時代が下るにつれて、口伝えの話でなく自分の目で見たことだけに話は生き生きと確かになってくるが、これがもう一代次の、自分の連れ合い、十一代得々斎の世となると口調はいつも俄《にわか》に熱を帯びてくる。

「私の父さまはな、この後之伴家の先ゆきをとくに案じられましてな、五十歳の御賀のお席で突然ご遺言《ゆいげん》をご披露なさいました。私七つのときどしたさかい、おぼろどすけど、お賀のお席には老分《ろうぶん》のお方やら、父さまの上の弟御で宝町に分家なされた岩宇斎さま、お次の武者之伴家六代を継がれた秀守叔父さまなどの親戚筋が二十人ほどもお集りやったと思います。お床はうちの宝もん、『四代さん御筆の「椿《つばき》画賛」』やったこと、これは不思議によう覚えてますな。

お目出たいおあしらいが出て、おっ献も廻ったところで突然父さまが『この御席で、是非皆さんに聞いて欲し思うことがおす』といい出され、五十歳を区切りに考えたことは、現在後之伴家には娘二人しかおりまへん、ゆくゆくはよそさんから跡取りの婿さん頂かんなりまへんけど、うちの家系ずっと見てみたら、皆三伴家うちのやりとりや。利休さん以来の家絶やしたら困るさかい、こうやって助け合うて来たんはこれはこれでよろしいのやけど、伴家のずっと将来見通した場合、ところどころでよそさんの違うた血い混ぜんと同じような人間ばっかり出来るのやないかと、こない案じます。

何や賀茂の競馬うまのような譬《たと》えどすけど、伴家の発展のためにもうちへ頂く婿さんは、茶屋には関わりのない、お武家さんからと決めました。勝手どすけど、私の遺戒《ゆいかい》として、このこと、皆さんに助けて頂きとおす、お頼《たの》申します、と頭をお下げやした。

ところが皆さん、すぐには納得しやはらなんだて申しますな。伴家は御祖《おんそ》からの申送りとして、長男の跡取りだけが伴の姓を名乗り、お次からはよそさんへ養子に出たり、新し家興したりして分かれる習わしをずっと守って来ました。つまりそれだけ直系の血筋を大事にして来たのやさかい、次の家元には、お武家さんをと急にいわれても、古い老分さんやら業躰には危いことや、と思わはったのも無理なかったん違いますか。

そやけど父さまの、生きとやすうちのご遺言《ゆいげん》どすし、父さまには父さまのお心づもりがあったのを察してもらえたと見えて、終《つい》には皆さんご同意くださり、ほして翌《あく》る年、お供の侍おひとり連れてうちへおいでやしたのがおん年十歳の得々斎さん、幼名君松君どした。

いま思えば、父さまはよくよく先目の利《き》かはったおひとどしたなあ。これはうち同士の話どすし、あんたらまだ子供やさかい十分には判らしまへんやろけど、人さんにお茶教えて、それで結構に家立ててゆくのはこれはなかなかのことどすえ。物作って売るわけやなし、右左物動かして口銭もらうこともなし、お茶のお好きなお殿さんやらお公家さんからのお声のかかるのをじっと待ってて、お呼びに応じて上らせて頂くだけやもん。幸い伴家はお大名さんのお茶奉行の役は頂いてますけど、これかてお家の事情が変ればいつ何どきもう要らん、と仰せられるか判らしまへん。

そやさかい、いっち安心の方法は、胴のしっかりしたお家とのご縁組どすわなあ、というてしまえば身も蓋も無うなるけど、父さまはその辺りをよくよくお考えやしたと思われます。その頃、出仕させて頂いてました松山藩のお殿さんにお願い申上げて、ご親戚筋の三河国奥殿のご領主、松平縫殿頭《ぬいのかみ》乗友さまのご三男、君松君をうちへ頂かしてもろうたんどす。

父さまのお仕えしはった松山藩の松平さんは十五万石どすけど、奥殿の松平さんは一万六千石どした。禄高は少ないけど、うちかて利休さんのときで三千石やさかい、君松さんがお供連れて見えはったときには、うちのもん皆、恐れ多いこっちゃ、床の間へ祀っとかなあかん、といい合うたし、それに、十とはあまりにいとけない、と不憫《ふびん》がったりもしました。これが確か文政二年の師走やったと覚えてます。

父さまは家中を皆集めて、『お出がどうあろうと、この家に来て頂いたからにはわたしの子やし、次の十一代の家元になるおひとや。お年は十歳でも、家を出られるときもう元服を済まされ、父上さまから武三郎ていう成人名も頂いてはるのやさかい、立派な大人どす。これからは一人前以上に稽古《けいこ》に励んでもらわんならんよって、皆もそのつもりで特別扱いはせんように』とくれぐれもいい渡さはりました。

文吉のお稽古始めは六つやったな。茶家に生れてれば、その六つまでにも朝晩、目と耳から自然に入る稽古が出来てるもんどすけど、武家に育ったおひとは弓矢撃剣の音聞いて大きなっといやすわなあ。そやさかい、お稽古の出だしからしてもう十年の開きがおす。それでも父さまはよういわはりました。これが二十過ぎの婿さんもろてたら、そのおひとはどんなきつい修行しやはっても家元というもんにはなれしまへんなんだやろ、子供の時分の十年の遅れなら、わしが身入れれば取戻させてあげられる、て気張らはりましてな。それからというもん、それはそれは厳し厳し得々斎さんを仕込まはりましたえ。

文吉はまだ十になってまへんし、うちで育ったんやさかい、お稽古も緩いとこおすけど、文吉にはお祖父さまに当るこの得々斎さんの修行の話は、ようよう覚えときおし、石と鋼《はがね》の修行いわれたほどどした。生れた家にいやはったらまだ母さん恋しい年頃で、お付きの侍さんとはすぐに引離され、表で業躰たちとの寝起きどす。

朝は暗いうちから起きて内外の掃除、水屋仕事、陽が登るまでにはもう釜懸けて音立ててなあかん、一日中お点前の訓練で、夜は夜で読んで覚えとかんならんお茶の書は山のようにおす。合い間には習字の練習、お取次の作法、挨拶の仕方、数え上げたらきりのない仕事を、父さまはきっちりと得々斎さんに付いて教え、父さまお留守のときは、亡くならはった業躰の薄井、堀内の二人が仕込みました。

父さまは得々斎さんに、二度と同じことを繰返しては教えはらなんだいいますな。聞き返しても、一度いうたことは黙って語らず、二度三度聞くと、いつも持ってる矢筈《やはず》できつう折檻《せっかん》やった、これが石と鋼の譬えどしたやろなあ。

父さまは、得々斎さんが逃げんように、身じろぎ出来ひんように、いっつも袴《はかま》の裾を自分の膝の下に敷き込んではりました。まだお小さい得々斎さんが、大き父さまに引据えられ、茶杓《ちゃしゃく》取る手付きひとつでも二十回も三十回も繰返されてるの見て、私むごうて泣きました。私が男なら、父さまにもう少し加減したげて欲し、といえるのどすけど、女は何にもいえしまへん。たまたま遠くからでも、矢筈で叩かれてるとこなど見ると、たまらんように切のうなって、庭の地蔵堂へ走り込んでお祈りしました。早う早う、あのお方が一人前に仕上りますようにてなあ。

そやけど得々斎さんもお偉うおしたなあ。どないにきつうしかられても涙もこぼさはらへなんだし、三河へ逃げて去《い》のうとも思わはらなんだそうどすさかい。一ぺん、こんなことがありました。この倉の向うの壁のねきに臥竜梅《がりょうばい》、おすわな、あこへ私が青梅千切《ちぎ》りに行ってて、ふっと下を見たら何や落ちてます。拾うてみると、葵《あおい》の御紋のついた黒塗りの印籠《いんろう》どした。ちょっと古びてて、それに緒が擦切れてましたんえ。

これはきっと、あの方がお国をお出やすとき、父上さまからお形見に頂かはったもんに違いないと思うて、私その緒を直してあげたのどす。絹糸を組んで新し緒を作り、すっかり取替えて、それお渡しする日をこっちゃの奥のほうからずっと窺《うかご》うてました。文吉も知ってのとおり、庭掃除も大事な修行のひとつやさかい、必ずまた、ここに見えはると思うてましたら、或る日、梅の木の下にしゃがみ、袴の股立《ももだ》ち取って草むしりするお姿が見えました。幸いそばには父さまも業躰も居てなんだ。私走り寄って印籠お渡ししましたら、あのお方、さっと袴の股立ちをおろし、私に頭下げて『忝《かたじ》けない』といわはったんどす。

そのとき私はほんまに、吃驚《びっくり》しましてなあ。おおきには聞くけど、忝けないといわはるお方初めてどす。このお方、やっぱりお育ちもお国も私らとはほん違うと子供心にしみじみ思いましたもんなあ。出来るもんなら一生このお方のお傍《そば》に居て、お助けして差上げたい思いましたえ。まだ私、八つぐらいどしたけどなあ。得々斎さんも十一ぐらいやったと覚えてます。

ほして父さまは、得々斎さん見えてから二年目に倒れはって、そのあと五年ずっとお床に就かはったきりどした。お頭《つむ》ははっきりしといやしたんどすけど、お手が利かしまへん。お床でいわはるのは得々斎さんのことばっかり。あの子の仕込みたった二年でわし倒れてしもたんは無念や。二年ぐらいの稽古ではとても家継がせられへん、と日夜苦しまはるのを見て母さまがきっぱり覚悟を決めはって、ほな私にあの子をお任せやしとくれやす、とお願いしやはったそうどすな。

　母さまは、あんた方も寄せて頂いたこともおすやろ、貴船の舌《ぜつ》、という古いお家からこちらへ見えはったんどすけど、お里の舌家もお茶はなかなかのお嗜《たしな》みで、母さまもそこ見込まれて、こっちゃへ望まれたと聞いてます。ま、そうどすけど、お茶は昔から男はんのお点前が筋として伝えられて来たもんどすさかい、母さまのお仕込みではやっぱり父さまはおぼつかのう思わはりましたやろな。そこで主《おも》の師匠は母さまと決め、それを堀内、薄井が助け、父さまはいっつも釜懸けてるねきまでお寝間引っ張ってってもろて、じっとその稽古見てはりました。このことは私はよう覚えてますえ。得々斎さんは、もう袴の裾を抑えられることこそやまはりましたけど、厳し母さまと寝たなりの病人に囲まれ、前以上に苦し苦しお稽古やったと思います。

　そやけど、あんた方もここよう承知してなあきまへんえ。こうやって修行しやはった得々斎さんの、首尾よう十一代を継がはったあとの目ざましいお働き。お武家さんの心と、お茶人としての修行が見事に実を結んで、天晴《あっぱれ》な家元に仕上りました。伴家の歴史のなかでもこれほどのお方は他に見当らへん、と私は思います。やっぱり父さまは大事なとこへお目をつけはって、それが目論見《もくろみ》どおりに成功をおさめてどれほどかお嬉しかったやろ、とお察ししますなあ。得々斎さん十七の年に、父さまはもう行く先安心や、といわはって安らかに目を瞑《つむ》られました。

得々斎さんの遺《のこ》されたお手柄の数々は、文吉は父さまからも教えて頂いてますやろ。お里かたの引きであちこちのお大名家にお出入りさして頂き、尾州さまのお茶室へもお出入り許されてましたな。町衆の皆さんにもお弟子さんぎょうさん増えまして、天保十年に、利休さんの二百五十回忌を催さはったときは、それはそれは盛大やった。

いまの兜門もお玄関も、拙々斎、大炉の間、抛杓斎、そしてこの隠居所も、皆そのとき、得々斎さんがご普請なさいましたんえ。お好みのお道具もたんとおしてな、出入りの道具屋も喜ぶし、伴家の十職さんにも働いて頂いて、後之伴家はいまのように隆盛になりました。有難いことや思わなあきまへんえ」

と、ここで祖母の長い話はようやく終りになるのだけれど、その話は幾度繰返しても内容に寸分の違いもなく、言廻しの言葉までも決まっていて、まるで辻《つじ》の講釈師か、門付けの浄瑠璃《じょうるり》を聞いているようや、と由良子はいつも思った。

そのうち年一年、鞆子は老《ふ》けてゆき、子供たちは大きくなって、長い話も全部覚えてしまい、鞆子が口を開く前に、

「はいお祖母さま、次は、二十過ぎの婿さんもろてたら、そのおひとはどんなきつい修行しはっても家元ちゅうもんにはなれへんかったやろ」

と舜二郎《しゅんじろう》が大声でなぞれば、由良子も続いて、

「子供の時分の十年の遅れなら、わしが身入れれば取戻させてあげられる、て気張らは

りました」

とうたうように言い、皆どっと笑って、話はそれで終りになってしまうようになった。

鞆子は、少しずつ歯の欠けてゆく唇許《くちもと》に手の甲を当てながら、

「ようしたもんで、家ちゅうのはヤジロベエやな。私がこうして年寄っても、若いもんはどんどん出来るようになる。皆、しっかり知恵がついて来ました」

と満足そうに三人の孫を眺めやるのだけれど、由良子は大きくなるにつれ、そらんじている祖母のこの話に、自分なりの不審が湧《わ》いてくるようになり、一度問い糺《ただ》したいと思いつつ子供心に何となく憚《はばか》られ、ずっと言い出せない儘《まま》でいる。それに就ては文吉も、弟妹だけの場で、

「なあ、お祖母さまのお話は、いっつもお祖父さまの代までで、そっから先はなさらへんな。何でやろ」

と首をかしげ、由良子もまた、

「お祖母さまはお二人姉妹やのに、もうお一人のお話は出えへん。早うに亡くならはったんやろか」

と腑《ふ》に落ちぬ点を口にすると、元気な舜二郎は、

「お祖母さまは、うちが隆盛や隆盛や、といわはるけど、そんなら何でうちは朝昼晩、お粥《かゆ》さんばっかりやろ。よそさんでは頭のついたおまなも食べてはるの、おれ見たこと

あるえ」

と口を尖《とが》らしていい、これはさすがに兄に頭を小突かれて黙らざるを得なかった。

由良子は七つの年に、舜二郎とともに祖母に連れられ、今出川の華族会館へ読み書きを習いに行くようになったが、そこで鼻眼鏡のもと女官さんから日本史の講義を受けるようになると、いろいろなことが少しずつ判って来、自分がこの長い伝承を持つ家の一人として生れたことに対し、いっそうの自覚めいたものも生れて来つつあった。勉学の帰り、小川の石橋を渡ると、舜二郎は背中に負うている硯筥《すずりばこ》の風呂敷をカタカタいわせながら鉄砲玉のように駈《か》け出してゆき、由良子はゆっくりと我が家の生垣の緑を眺めながら歩いて帰る。

いまから百年、二百年も前の、自分と血の繋《つな》がるひとたちが、この生垣の内でお茶を点て、寝起きし、生れたり死んだり、泣いたり笑ったりを繰返して来たのだと思うと、由良子には長いと思えるあの祖母の話のまだ幾百倍、幾千倍の話がここに埋め込まれているのだといつも考える。同時に、祖母の物語に疑問があるように、この垣の内側には自分の知らない不思議な出来事がたくさんあり、そしてそれは身内といえども妄《みだ》りに暴いてはならないという、目には見えないけれどもこの上ない強固な掟《おきて》によって守られているというような気がし、そう考えると何となく体が引き緊まってくるのであった。

男兄弟に挟まれた女の子といえば、荒っぽい遊びの数々を上下からみっちりと仕込まれ、それなりに勇ましく育ってゆくものだけれど、由良子は自分の小さい頃を思い返して、棒切れひとつ振廻した記憶もなければ、大声挙げて泣き喚《わめ》いたという覚えもない。これは祖母からつねづね、「由良子はほん聞き分けのええ子え」と宥《なだ》めつけられていたせいもあろうし、また、この家では子供一人一人、それぞれに違った育てられかたをしているという、自分なりの納得のせいなのかも知れなかった。

文吉と舜二郎は、折ふし取っ組み合って縁側から転げ落ちるほどの華々しい諍《いさか》いをすることがあり、そういうとき、父の恭又斎《きょうゆうさい》が居合わせても、「これ、やめんかいな」と声をかけるだけだが、母の猶子は見るなり褄《つま》からげて帯のあいだに挟み、いきなり二人の首根っこを摑《つか》まえて倉の前まで引きずってゆき、

「さあ、やめるか、やめへんか。やめへんやったらこの中へ入れて錠かけるえ」

と、二人が恐れ入って謝るまで締めつける。

争い事の嫌いな由良子は、こういう場を見るとたちまち歯の根が合わなくなり、目尻に涙がすぐ滲《にじ》んで来るが、しかし考えてみれば男の子二人のこんな喧嘩《けんか》も、ほんの指折って数えられるほどの回数でしかなかった。というのも、文吉は六歳になるときっちりと折目をつけられ、両親と業躰《ぎょうてい》の仲秀保、小島秀直から将来の家元としてしつけられるようになり、弟とゆっくり遊ぶ余裕もなければ、諍う暇もなくなってしまった。

遊びたい盛りの子供が、恐ろしく面倒で、また少しも面白くない茶の点前を習うのは、苦痛以外の何物でもないと由良子には思えるが、文吉がそれに耐えたのは、当時の後之伴家の直面していた事情に依るものであったらしい。あとから思えば、祖母がくどいほど子供たちに話し聞かせたこの家の昔話は、詰まるところ、武家の出の得々斎が如何《いか》に勇猛心を奮い起して伴家を盛立てたかという事実を、幼いうちから子供三人の胸によくよく刻印しておきたい目論見があったためかと思われる。

家の子たちの稽古はいわば「楽屋裏」故に、家人以外の場では決してつけず、それでも由良子と舜二郎なら、

「一寸おいなはい。釜懸ってるついでやさかい」

と気軽に祖母でも見てくれるけれど、文吉の場合は早朝必ず釜の前に坐らされ、その脇で指導するのは、日によって違うものの、ほとんど常住侍《はべ》っているのは仲秀保であった。秀保は、得々斎が伴家へ入る際、三河から従って来た供侍《ともざむらい》仲忠蔵が、その後こちらで妻帯して生れた子で、襁褓《むつき》の取れた時分から父親に背負われ、降っても照っても兜門をくぐり、この家で育って来ただけに、後之伴家の内情なら誰よりも詳しいといわれている。

至って無口で、凹《くぼ》んだ眼は炯々《けいけい》として底光りし、由良子は秀保の顔を見るたび、まるで鷹《たか》の目のようだといつも思った。鷹は、ついさきの小川通りの装束屋の門口の、大き

な鳥籠《かご》の中に飼われており、きっと首を張り、威厳をもって四方睥睨《へいげい》するその鋭い目に会うのが恐ろしくて、鳥籠の前は顔を伏せて走り過ぎる。仲もきっと、この家のことは鼠《ねずみ》の穴まで知っているばかりでなく、あの目で家人の一人一人の心の内まで見通しているに違いない、と由良子でさえ臆測できるような雰囲気を持っているだけに、子供たちにとってはときに親以上に煙たい存在であった。

ときどき文吉も、

「仲て不思議なひとやなあ。今日辺り棚点前《たなでまえ》やるんやないか、面倒臭うて嫌やなあ、と思てたら必ず、坊《ぼん》さんこれからお棚どっせ、といわはるし、紐《ひも》結びはかなんな、逃げたいな、と思てたら茶壺《ちゃつぼ》の紐飾りの稽古始めるんや。まるでここの中、全部開けて見られてるみたいえ」

と胸を指していい、そんなときはいつも猶子が仲の肩を持ち、

「それはその通りえ。仲にお前の胸のうちが見抜けいでか。見抜けなんだら稽古はつけられへん。ずる心起さんとしっかりお気張りやす」

といっそう励まされることになる。

文吉に対する仲の稽古は、厳格というよりはもっと一途な悲願というべきものが込められているように思われ、由良子は一度、襖越しに仲の文吉に説き聞かせる言葉を聞き、したたかに心を打たれ、しばらくもの思いにふけったことがある。

それは確か文吉苦手の棚点前のひとつ、五行棚の稽古のときであった。大水屋の隣、溜養軒の部屋のうちから釜に湯を垂らす音がしたと思うと、間髪を入れず仲の低い声で、

「この棚は、湯返しはせえしまへんと申上げたります。も一度初めからやりなおしとおみやす」

と間違いを指摘するのが聞えたあと、一瞬の沈黙があった。立って窺っている由良子にはその沈黙が異様に感じられ、何か起る、と、はっと体を固くしていると、突然畳に柄杓《ひしやく》を投げつける音がし、文吉が泣声で叫ぶのが聞えて来た。

「もう嫌や。稽古は嫌や。何でこんなややこしことせんならんのや。道具やなんて、全部毀《つぶ》してしもたらええ。この家にも火ぃつけたる」

と絶叫している文吉に対し、仲は身じろぎもせず押し黙っているらしく、そのうち文吉の涙声もだんだんと詠嘆調になって来て、

「お茶飲むだけのことに、何でこんな手の込んだ厄介な稽古せんならんのや。棚の形によって、点前が六十二通りもいちいち違うやなんて、誰がこんな決まり作らはったんや。全部覚えんならんにゃったら、僕もう気が狂うたるわ」

と訴え続ける文吉の声がやや静まると、仲が口を開いて、

「なあ坊さん、これから仲の申上げること、よう聞いとくれやっしゃ」

と居ずまいを正す気配があって、

「坊さんは、いまの宗匠のお後継いでこの後之伴家の十三代を名乗るお方どすな。このことは寝ても覚めても忘れたらいかんことどす。伴家の長い歴史背負うて立たんならんし、またこれからの歴史に必ず残されるお方どす。よろしおすか。後之伴家の家元というお方はどこ、どないに捜しても日本中でたった一人しかおいやさしまへん。そやさかい、何をやらはっても家元のなさること、何をおいやしても家元のいわはることで悉《ことごと》く通ります。笑わはっても家元、くしゃみしやはっても家元、これ考えようによってはこわいことどすなあ。

帛紗《ふくさ》の捌《さば》きかた、炭のつぎかた、ご挨拶の仕方、どんな細かいことでも、それこそ首賭《か》けてでも家元は一分一厘間違うてはあかんのどす。もしも間違うたお点前しやはったら、それを見てはったお弟子たちその通り覚えてしまわはります。ほしてその間違いが間違いのまま、ずっと後の世まで伝わりますのや。

坊さんいわはる通り、お点前は確かにややこし難しもんどす。入門から始めて順を踏み、一般のお方は真台子《しんのだいす》まで届いたらま、それで一つの頂点どすけど、家元にはこの上にまだ一子相伝の真の真がおす。坊さんもご承知のとおり、拙々斎の唐紙にお点前の順序を書いたありますけど、小さい字でびっしり三枚、それこそ目の廻るほどのお手の数どす。しかもお茶は道、学、実の三つを共に極めてゆかんなりまへん。お点前だけ奥へ行き着いてもそれはまだほんの三分の一、長い長い一生修行どす。

坊さんこれから、お点前ややこしなあ、嫌やなあ思わはるときは、先ずこんな面倒なこと、誰が、いつ、どうして拵《こしら》えはったんかを考えてみとおくれやす。棚のお点前が溜《ため》塗《ぬり》と杉板、蛤卓と八角形、丸卓と四方卓、天板の無いのと二重棚、これらを皆一緒にして何故《なぜ》同じお点前ではいかんのか、それ考えてみとおくれやす。

ほして、今日まで十二代の家元さんがそれぞれ編み出さはったお点前が、理に適《かの》うてへん、道を外れてる、と坊さんが思わはったら、どない直さはってもよろし思います。柄杓打ちつけても、道具毀《つぶ》さはっても、仲はそのとおりに従います。仲だけやおへん。後之伴家流を嗜《たしな》んではるおひと皆、従う思います。

坊さんはお家元どすさかいに」

仲の、嚙《か》んで含めるような、そのくせ有無をいわさぬ響きを込めた説諭が終り、襖のうちに再び静寂が戻って来た気配を確かめてから、由良子は襖の前をそっと離れた。ただいまの仲の言葉は、文吉のみならずこの家に生れた由良子の胸までも激しく揺すぶらずにはおかないものであった。同じ兄妹ではあっても、文吉は日本中でたった一人しかいない家元で、将来は咳《せき》をしても、くしゃみをしても家元として尊崇される身分に在ると聞けば、いままではごく身近に兄とだけ考えていたものが、一瞬のうちに彼方へと飛び去ってしまったような気がする。

文吉はきっとこれから、仲のあの鋭い目差《まなざ》しに注視されつつ、成長ののちは御簾《みす》のうちならぬ茶室の襖の向うに鎮座し、口をきくことさえままならぬ有様になるのではないかと考えると、妹だけに兄の身を案じ、いかばかりのご苦労かと思う。遊びたいときにも遊べず、いいたいことも胸に呑み込み、しかも仲のいうとおり稽古はお点前のみにとどまらず、習字、絵画、香道、あらゆるものを極め、むずかしい本を読み、道具を見る目を具《そな》え、教養を積んで人々に仰がれる家元とならなければならないのは、由良子からすれば溜息の出るほどの偉業と見える。自ら好んで家元を継承する運命を選んだわけでもないのに、いまも行末も、過重とさえみえる任務を背負わされる文吉に、由良子は心から同情の思いを寄せないではいられなかった。

同時に、天運定まっている文吉の前途に就て、いま改めて仲の口からはっきりと聞かされてみると、由良子には、それならこの家で、自分の身は後々どうなるか、小さな黒い不安が胸の底に起上って来る。このときは確か由良子八つの秋と覚えており、それは京都の町に廃仏毀釈《きしやく》の法令が解け、初めて大文字に灯《とも》の点ったのを見た記憶があるから、明治十六年、文吉も十二歳になっていたときのことと思われる。こんな幼い時分、由良子が何故我が身の末に気懸かりを覚えたかというと、この家では由良子の見る限り、二代続いて女は他家に嫁がず、入婿を迎えていることと、そしてもうひとつは今からちょうど二年前、この黒い不安が芽生える元となった一つの風景が強烈に由良子の脳裏に灼《や》きついているためであった。

後の庭には、前之伴家との境に樹齢三百五十年といわれる、秀日手植えの銀杏《いちょう》があり、その日、その下で由良子は一人泥いじりをして遊んでいた。黄金の葉が昼下りの陽ざしを眩《まぶ》しく弾きながら絶えず散りかかっており、由良子は地面の土を掻き集めては、すぐ近くの四方仏の蹲踞《つくばい》からてのひらで水を汲み、それで土を捏《こ》ねては小さな団子を作るのに夢中であった。子供は表の庭を歩くのさえ禁じられている上に、まして一度もしたことのない泥いじりに、由良子はそのとき何故あれほど、我を忘れて熱中していたのだろうか。多分、小さいときから祖母に「由良子はおとなしいなあ。ええ子やなあ」と常にいわれ続け、その通りに育って来た自分に対する、たった一度の、反抗めいた気持もあったのではないかと思われる。

長い間、由良子は手を泥だらけにし、ぴたぴたと土の団子を叩き続けていて、ふっと一瞬、背中に冷たい視線を覚え、振向くと、すぐ後の茶室松隠席の躙口《にじりぐち》が開いていて、その奥から自分をじいっと見つめている大きな目があった。ふだんでも暗いが、その奥に光っている目はまるで深い深い井戸の底に棲《す》む魔物の、獲物を狙う凶猛な視線とも見え、由良子はあまりの恐ろしさに全身硬直したまま、その場を動けなかった。逃げようとする気の逸《はや》りと、光る目に引据えられる力との息詰まるやりとりがあって、ついに由良子がわあっと泣き出そうとしたとき、遠くから庭を渡って近づいてくる人の足音が聞え、とたんに松隠席の内から甲高い声で、

「女の子やのに、庭やら着物やら汚して泥遊びするような子は、うちの子やない」

と強い叱声が落ち、同時にすっくと立ったその裾引きの着物と、重ねの被布《ひふ》の柄が躙口から見え、あっ母《かか》さまや、と由良子は判った。

猶子が着物の裾を引き、被布を着るのは宮家や公家への出稽古のときと決まっており、その帰り、暗い松隠席へ入って来て長いあいだ自分を瞠《みつ》めていたのだと思うと、子供ごころに頭から冷水を浴びせられたような感じがあった。そして、「うちの子やない」と一声、まるで鋭い刃で切りつけるようにいい捨てた言葉は、単に子供を叱るための方便ではなく、その場の状況と重なってどこやら真実の響きが感じとられ、母の声音は長いあいだ尾を引いて由良子の耳の底から離れなかった。このときを境に、由良子の胸の片隅に、人にはいえぬ疑念が萌《きざ》すようになり、ときどきその疑念に取り憑《つ》かれては鬱《ふさ》ぎ込む癖がついたように思える。

あのとき、近づいて来た足音は祖母で、

「由良子、ここで遊んだらいかん、ていうてますやろ。まあまあ、泥なぶりして、やんちゃして」

といい乍《なが》ら、手首を摑んで井戸のそばへ連れて行ってくれたが、由良子は既にそのとき、いままでならすぐ祖母に訴えられたはずの、「母さまに叱られてしもた」は呑み込んでしまって口に出さなかった。

母にこういわれてみれば、なるほど合点できることは多くあり、例えば夜寝るとき、文吉は二階で両親に挟まれて眠り、舜二郎は祖母の寝床と決まっているが、由良子はずっと以前から女子仕《おなごし》の鹿と一緒であった。鹿の大鼾《いびき》は皆に嫌われ、苦情が出るたび、台所で寝たり玄関で寝たり、家中を転々とし、そのたび由良子も寝巻と枕を抱えて引っ越しをする。いままでなら、「由良子は女子やさかい」と二言目にはいわれ、長男の文吉は無論、舜二郎よりも一段下と思われる扱いを受けても、女子やさかい当り前と得心していたものが、この母の一言から、この家ではやはり自分は一足下っている身分やないかしらん、と不信は頭を擡《もた》げてくる。一旦疑い出せばきりがなく、舜二郎が文吉に続いて六つの年から茶の稽古を始めたのに較べ、自分にはそういう折目は無く、それに就ては祖母から、

「文吉にもしものことがあったら行くさき舜二郎が代ってやらんならんさかいな。女子はまあまあ、そこのとこは楽やわなあ」

といい聞かされ、女子でよかったと一人納得していたことも、どこやら騙《だま》されていたような気がしないでもない。しかしそれよりももっと、訝《いぶか》しく考え続けていたのは華族会館の修学教室への入学も学年も舜二郎と一緒であることの事実で、最初女官さんは書類を見ながら、

「あんたがた二人とも明治九年の生れやな。年子どすのかいな。それにしてもあんまり

お顔は似てしまへんなあ」

と呟《つぶや》いたのも、由良子には忘れられない言葉であった。由良子の誕生月は二月、舜二郎は十二月で、これはのちに、由良子が女の妊娠出産の絡繰《からくり》が判るようになって考えてみれば、あり得べからざる話ではない、と打消すことは出来たものの、しかしまた、極めて稀《まれ》な例であるともいえるだけに、結局疑心がきれいに晴れたわけではなかった。

考えてみれば、祖母の膝に抱かれた記憶はあっても母のそれは全く無く、また日常、母と二人で外出した覚えもなければ、陽の射す縁側などで睦《むつ》まじく語り合ったということさえ一度も無い。もっとも茶家の主婦は日々結構忙しく、それに猶子は一人娘で、父得々斎から直々に点前の伝授を受けて育っているだけに、女ながらも立派に出稽古の役が勤まり、よその家の母親のように家の内で子供の相手をする暇など、ありようもないのであった。

由良子はこのことに就て、いままで別段祖母に質《ただ》してみようとも思わなかったし、まして自分よりも古くからここに居付いている業躰たちに尋ねてみようとも思わなかった。長い歴史を持つ家には幾多の不審や、無気味さや、奇怪がうずたかく積っているのは、繰返し聞かされる祖母の話からも十分察せられたし、またこの家には古くから「言葉の多き」を忌む習わしがあり、取分け面倒なことは除《よ》けて通るのを、子供でもよく心得ているのであった。

内心ひそかに、自分の出生を確かめてはみたいし、確かめるのは恐ろしく、という気持を抱き続けている由良子に、ただいまの仲の烈々たる諫言《かんげん》は、文吉と自分とのあいだを遠く隔て、もはやふたたび元には戻れぬようにしてしまった感があった。仲の言葉には、この男が是が非でも文吉を立派な家元に育てようとする、一途な願いがこもっており、その大義の前には、女きょうだいのことなど念頭にさえないのではないかとも受取れるのであった。そう聞くと実際に身の廻りが急に寒くなり、由良子は着ている木綿縞《じま》の袖《そで》口《ぐち》に両手を入れ、梅の井のわきから御祖堂にかけての畳廊下を行ったり来たり、歩き廻った。この家は広うて、父さまも母さまも遠く、お祖母さまはお年を召し、兄さまはお次の家元、弟はそのお身代り、とすれば、いったい私は誰を頼りにしたらええのやら、と思うと、大鼾のすぼけ、と人のいう、鹿しか恃《たの》む者の無い自分がいいようもなく寂しかった。危く涙が溢《あふ》れそうになるのを、唾《つば》を呑み込んでは懸命にこらえていたあの日が、思えば由良子の、最初の人の世の哀れを知った体験というべきものではなかったろうか。

家の歴史とは秘めごとの歴史、と幼なごころに理解していた由良子の前に、その秘密が一枚めくられたのはこのあと二年、明治十八年十月二十五日の夜のことであった。後之伴家の歴史のなかでも、この日は特筆すべき出来事であったため、記録にも残されているが、それは極めて簡潔に記されており、当時十歳の由良子には詳細は読み取れなくても、その夜の異様な雰囲気だけはありありと覚えている。もっとも、この日までにも家内一同集っては数回も談合したらしいが、鹿に託され、遠ざけられていた由良子はほとんど何も知らなかった。

ただ、これ以前半年ほど父の恭又斎はめっきり憔悴《しょうすい》し、家居のときは手燭《てしょく》を提《さ》げて倉に籠《こも》ったきり、家族の前にあまり姿を見せなかったが、逆に由良子にはときどき声をかけるようになっているのであった。特別に膝前に呼び寄せるというのではなく、食事のあとや廊下のすれ違いなどのとき、廻りに人のいないのを見計らって由良子の小さな髷《まげ》に手をやり、

「修学教室、行ってるか。字、仰山おぼえんとあかんえ」

とか、

「お点前、秀直に見てもろてるか。せえだいお気張りなはい」

とか、短い言葉をかけてくれるだけだけれど、由良子はそのたび、父《とと》さまお目が悪いのやないか、といつも思った。

恭又斎の目はその頃、赤く充血して腫《は》れ上っており、由良子にものをいいかけるたびうるんで来るのを、事情を知らない由良子には、ひょっとして眼病ではないかと推測するだけで、他に何も窺い知ることは出来なかった。あとから思えば、恭又斎はこの日を迎えるまでずっと眠れぬ夜が続き、人知れず熱い涙を流す日も重なってこういう窶《やつ》れようであったらしい。

その夜、陽が落ちてから真っ先に現われたのは、子供たちが隅倉《すみくら》の伯父さま、と呼んでいる恭又斎の実兄、柳庵《りゅうあん》で、日頃に似ずちらと目の合った由良子にもにこりともせず、沈痛な面持で拙々斎へ入って行った。由良子と舜二郎は鹿から、今夜は玄関で二人一緒に早くから寝るように、といわれていたが、次々に集ってくる親戚の人たちの、どこやら切迫した様子を見ると寝るどころではなく、二人で蒲団の上に坐ったまま、じっと耳を澄ませている。

この夜の顔ぶれは、恭又斎の実家側から柳庵、後之伴家の親戚代表の役として、十代有徳斎の末弟で武者之伴家を継いだ長老、六代桃翁秀守《とうおうしゅうしゅ》、これは猶子の血を分けた大叔父に当り、そして隣の前之伴家は当主十一代の秀左、また特に伴家とは深い関わりのある老分の毛野秀古、宮中秀朴、江田秀寛の三人も加わり、家からは恭又斎、猶子、鞆子、文吉の他に業躰は仲、小島と、のちに由良子の夫となる不秀《ぶしゅう》も同座した。ここに参集した客の五人は、これまで猶子から或は鞆子から個々に事情を聞いてあらましのなりゆきを知っているだけに、杖に縋《すが》ってやって来た八十六歳の桃翁がのっけから叱責の口調であった。

「恭又はん、今晩こんな年寄を呼び出さはったんは、あんたの悪い夢が醒《さ》めて、これからは身ぃ入れて家のことやらはるちゅう報告のためやおへんのか。え？　そうどっしゃろ。

わし年寄役で痛いことといわんなりまへんけど、あんたがこの後《うしろ》へおいでやして以来、もう騒動ばっかりや。お静かな年月が三年と続いたことはおへん。いまわしら伴家全体、どんなえらい時期にさしかかってるか、あんたもよくよくご存知どすやろ。どうぞ心入れ替えて、これからは後之伴家の十二代として、せいだい気張って修行に励んどおくれやす。皆の前でそれ、誓《いさ》うて安心させとおくれやす」

と老翁が気力をふるい、張りのある声でそう諌めたのに対し、室内の誰もすぐに応答はなかった。由良子と舜二郎は手を取り合い足音をしのばせて梅の井のわきの畳廊下まで出張り、息を呑んで襖の内の気配に耳を澄ませていると、やがて小さな咳払いが聞え、恭又斎が低い声で、

「大叔父さまの折角のお言葉ではございますけど、今晩皆さんにお集り願うたんは、以前からご心配をおかけしてます私の身の振りかたに就てでございます。

いろいろ考えましして、ようよう私も覚悟が出けました。勝手な話どすけど、十二代恭又斎は本日限り隠居をさせて頂きまして、家督はこの文吉にすべて譲りとう思います」

そういったとき、座の人たちからはええっという驚きの声が洩《も》れ、

「それはまた、無茶なことを」

「こんな話、聞いたことないな」

「宗匠、ほん気どすのかいな」

とざわめいたあと、やはり桃翁が鎮めて、
「恭又はん、あんた気でも違うたんやおへんか。あんたはまだ三十三歳で、家元として
もいま取り付いたばっかり、それに文吉かて十四歳どっせ。文吉に家元が務まる思うて
こんなこといい出さはったんか、それともあんた、この家はどうなってもええ、と考え
はって、妙寿庵へ逃げ出さはるおつもりやのか、そこのとこはっきりと聞かせて欲し」
桃翁の口から妙寿庵の名が出ると、座はしんとひそまり、そのなかで首を垂れている
と思える恭又斎はさらに低い声で、
「この家のこと、どうでもええやなんて、そんなこと思うた覚えもおへん。むしろ逆さ
まどす。家のため思えばこそ、私のようなもんは早うに隠居でもして身を引いたほうが
ええやないかとこない考えまして」
というその言葉尻を捉え、猶子が一膝乗出し、少し取乱したと思える声音で、
「何でどす。どうしてどすか。きれいごといわはらんと、ほんまのこと教えとくれやす。
あんさんは由良子の母親のことが忘れられへんのと違いますか。妙寿庵へ行きたいため
に、この家も私らも皆捨ててしまうおつもりやおへんのどすか。
由良子が生れたとき、私は申しました。向うはお寺のだいこくさん、旦《だん》さんが本山へ
修行においでてはるその留守に、ややが生れたと世間に知れたらおおごとどす。私が引
取り、うちの子として育てますさかい、もう妙寿庵へは二度と足踏み入れんといておく

れやすて。あんさんもこのことは十分承知の上で、私に由良子を渡さはりました。そやけど、この取り決めを、あんさんは守ってはくれはらなんだ。もっとも妙寿庵にはうちのお弟子さん何ぼかいてはって、月にいく度か宗匠直々おいでて欲していわれてますし、うちもいまは大事なときやさかい、お弟子さん一人でも減らしとうはなかった。そやさかい、私は目つぶりました。それがまさかこんなことになるとは、思うてもみなんだ、思うてもみなんだ」

と話しながら激してくる猶子を制しているのは鞆子らしく、やがてまた恭又斎が、

「こんな、蓋《ふた》開けてしもうたとこお見せして、申しわけない思うてます。そやけど私の隠居の、ほんまの気持いわしてもらいましたら、私には家元として皆を引っ張ってゆく才の無いのを知ったことが第一どす。これはゆく先、なんぼ修行したかて、生れつきそういう才を持ってなんだ人間には、とうてい無理やし、このまま続けてゆくのはこの家の名を汚すばっかりやと思いましたんどす。

いまごろになって卑怯な、とお叱りは重々覚悟の上で、このこと皆さんに是非お許し頂きとうおす。さいわい、文吉はよう励んでますし、しっかりした後楯《うしろだて》もついてますさかい、立派な十三代に仕上る思います。こんなことお願いできる筋やおへんのどすけど、どうぞ文吉を行末よろしゅうよろしゅうお願い申上げます」

と平伏している恭又斎か、或は猶子のそれかは判らないが、嗚咽《おえつ》をこらえる声がしば

らく続き、やがて前の秀左が、

「恭又はん、隠居しやはってもあんたここにずっといてて、文吉助けてあげるのん違いますか。跡目譲ったらまさかすぐに妙寿庵へ行かはるんやおへんわなあ」

と質したのに対し、室内からはしかとした返答は聞えなかった。

同座の誰も言葉無く、畳廊下で立ち聞きする二人も身じろぎひとつせず、ただ部屋うちのらんぷの油のじじ、と鳴る音だけの静寂が続いたあと、老分の毛野秀古がゆっくりと口を開いて、

「宗匠のお話、とても残念ですけど、折角決心つけはったことやし、人にはそれぞれ器量もおすことやさかい、我々は宗匠のお指図どおり、これからは文吉さんを盛りたてて行くように努力いたしまひょ」

といい廻しは柔かいが、聞きようによっては痛烈な当てつけとも皮肉ともとれるような言葉で結び、そうなるともう誰も口出しすることもなく、恭又斎の隠居は認められたかたちとなった。

伴家の家元継承に就ては、格別に固い掟といっては無いが、これまで代替りはほぼ先代の死、または老衰などの理由で行われ、引継がれて来ただけに、当代が三十代で隠居、新家元は十四歳という例は今までに全く無いものであった。いわば御祖《おんそ》以来、後之伴家としては震天動地の境界に追い込まれたわけで、そのように緊要な談合がわりあいにあ

っさりと片付けられてしまったことに就て、由良子は子供乍ら、何となく割切れない感じを抱かないではいられなかった。このときの出席者には一人一人異った思惑が絡んでおり、皆京都人らしく腹の底を見せないままに散会したが、由良子がそれを知るのは結婚して後のことになる。

最後に、恭又斎に面差しのよく似た柳庵が、深々と手をついての挨拶で、

「弟の不始末で、えらい難儀なことになってしもうて、何ともお詫びの申しようもございません。隅倉といたしましては、後之伴家へのご迷惑がなるべく少のうて済みますよう、出来るだけのことはさせて頂きます」

と述べ、それを聞いて姉弟はまたそっと玄関わきの寝床へ戻った。

気配では、老齢の桃翁に辻の人力車を呼ぶか呼ばないか揉《も》めている様子があり、ほどなく仲が、

「どうぞ私の背中におつかまり下さいませ」

と式台にしゃがみ、やがて桃翁を背負った仲に付添い、足許を不秀が提灯《ちょうちん》で照らしながら帰って行ったあと、玄関では恭又斎が柳庵と長いあいだ立話をしているようであった。

ひそひそ声ながら、ときにふっと障子の内の由良子の耳にもそのやりとりは届き、

「出るなら何も持って出たらいかん。身ひとつがよろし」

「持って出るて、兄さま、倉のなかにはもう何ひとつおへんにゃ。皆売ってしもうて」と声は急に沈み、そのあと互いに別れを告げ、提灯の灯りがゆらゆらと十月の夜の闇《やみ》へ消えて行った。

姉弟は冷たい寝床のなかで背を向け合い、足をちぢめて暖まるのを待ちながら、交わす言葉もなかった。この家が開祖以来の危事に見舞われているのは二人ともよく判るものの、子供の身ではなすすべもなく、途方に暮れるだけであった。寝巻を通してお互いの体温が伝わって来るのを、しみじみと感じているだけの沈黙が続いたあと、亀の子のようにもぐり込んでいる舜二郎が、

「兄さまは泣いてはるやろか。えらいこっちゃもんなあ。そやけど、家元ちゅうのは威張れるえ。どこ行っても天皇さんえ。家来もいてるし」

と、姉にともなく一人呟いたが、由良子はそれに答えられるゆとりはなかった。

頭のなかは、ただいまの猶子の激しい言葉で充ち充ちており、胸の内に育てていた黒い萌芽の全容がそれによって明らかになった衝撃で、ともすれば体はふるえ、瞼《まぶた》は熱くふくれてくる。やっぱり母さまは継母《ままはは》、あの松隠席での恐い目は、生《な》さぬ仲の自分を呪うものやった、といまになって判ってくる。自分の生みの母親は妙寿庵のだいこくさん、してみると、あの、傍へ寄ればあたたかい日向の匂《にお》いのするお祖母さまは偽のお祖母さま、新し家元となる兄さまとも腹違い、いま背中をくっつけている弟とも、血は半分の

繋がり、そして頼みの父さまは、どうやら家を出られるご様子、と考えれば、心細さ果てしなく、自分の身のよりどころない軽さが思われてくる。

からからと乾いた音を立てながら、風次第でどこへ吹き寄せられるか判らない落葉、由良子はそんな我が身の姿を闇の中に思い浮べながら、いつまでもかっきりと目をみひらいているのであった。

第二章　観音さん

寄合いのあった翌日、朝からまたざわざわと人の出入りがあり、由良子の見るところ、それらは十徳を着たひとたちではなく、皆商人らしかった。腰に矢立を差したひとや、小さな算盤《そろばん》を懐に入れているひとたちと、恭又斎《きょうゆうさい》以下の男たちは部屋の隅でひそひそと話を交わし、どちらも入れ替り立ち替り、出たり入ったりしては帰って行く。それが、家の道具を処分して金に代えるためだとは由良子にはまだ知るよしもないが、考えてみればこの風景はかなり以前から見馴《みな》れており、家に何かの事あるときには、きっとこうして資金を調達して一時しのぎにしのいだのではなかったろうか。

昨夜からずっと家の内の空気は沈んだまま、用事以外誰も口を開かず、猶子《ゆうこ》も二階から下りて来ることもなければ所在なさに由良子は隠居所へ行き、そっと障子を薄目に開けてみた。部屋の中の祖母は、隅の鏡箱のわきに立ててある、亡き得々斎の墨絵の肖像に向って一心に祈っており、そのかがんだ背と、白い蓬髪《ほうはつ》を見たとたん由良子は胸衝《つ》かれ、すぐまた障子を閉めた。お祖母さまもきつう嘆いといやす、と思うとどうしていいか判らず、こんなときは人の邪魔にならぬよう、身を縮めるようにして茶の間に入り、そっと針箱を拡げた。

夕刻に近づくと、舜二郎《しゅんじろう》とともに由良子は隠居所へ呼ばれ、二人とも正月に着る晴着に着更えさせられ、御祖堂《おんそどう》の前の畳廊下に坐っているよういいつけられたが、それが何のためなのかは判らなかった。昼間の客たちは皆帰り、替って昨夜の顔触れがいずれも頭巾に十徳の正装で現われはじめてもまだ呑み込めず、ようやっと最後に、朱塗りの角《つの》樽《だる》を供に持たせた桃翁《とうおう》がやって来て、

「やれやれ、あと五日も待ってたら炉開きやら口切りやら、すぐにお目出度い月に替ろうというのに、何でこんな名残りの月に襲名式をせんならんのや、足許から鳥の立つようなとはこのこっちゃ」

と大声で独りごちるのを聞いて、由良子はああ兄さまの家元ご披露やな、とはじめて判った。昨夜、本日限りを以《もっ》て隠居、と告げた恭又斎の意志を認めたからには、家元不在は一日たりともあってはならず、襲名の諸式はいかように略しても、御祖の前での報告だけは間を置かずせねばならなかった。

日が落ち、拙々斎《せっせっさい》にらんぷが灯されると、仲秀保が先導して一同御祖堂の中に入ったが、三畳中板の狭い部屋には膝を詰めてもわずかな人数しか入れず、溢《あふ》れたひとは畳廊下に座を取って、由良子はそのいちばん末席であった。総礼して式が始まり、老分《ろうぶん》の毛野から、

「ただいまより幼名文吉、号を名乗って伴円諒斎《ばんえんりょうさい》が第十三代伴秀室を継承いたします。皆様ご異存無きものとして、新家元に起請文《きしょうもん》を朗読して頂きます」

と、低いがよく透る声で告げられ、次いで紙を拡げる乾いた音がしたあと、文吉が、

「誓紙」

と一声、読み上げたものの、その声音はかぼそく震え、後が続かなかった。昨日からの運命の激変に、ただでさえおののいている文吉は、誓紙朗読の稽古の時間さえ十分に無いままこの席に就いただけに、すっかり怯《おび》え、黙り込んでしまっている。誰もそういう文吉に次をうながしはせず、重い沈黙の流れるままにしばらくの時間が経ったあと、突然勇猛心を奮い起して文吉は立ち上り、今度は驚くほど高く張った声で、

「私事、第十三代伴秀室は、御祖利休居士以来の茶の精神及び、技、学ともに継承し、爾今《じこん》、修行に徹し、歴代の名を恥かしめぬことを、ここに誓います」

とよどみなく読み終えると、へなへなとその場に崩折れるように坐った。

文吉のかたわらに坐っていた猶子が、そのとたんほっとしたように肩をおろしたのを、

由良子は人の頭の間から見たが、自分も胸がいっぱいであった。ここで文吉が尻込みしたり、或は字句を読み間違えたりすればこの場は混乱し、御祖利休居士の前での醜態はこの家の末代までの恥辱となるだけに、猶子だけでなく、後之伴家《うしろのばんけ》の人間は皆一様に胸を撫《な》で下ろした様子であった。

このあと、秘伝書を納めてある伝来の密参箱《みっさんばこ》の親子の受け渡しがあってのち式は終り、続いて拙々斎で簡単な祝宴があった。事情が事情だけに祝宴とはいっても湿っぽいものになるのはいたしかたなく、なかでも桃翁がむきだしな言葉で、

「わしこの年まで襲名式には何べんか立会うたけど、こんな簡略なんは初めてのことや。へちめんどくそのうてよろし、といえばまあこれほど気楽なことはないわなあ。まあよろし、よろし」

と多分に刺《とげ》を含んだいいかたをしたが、それは単に式をかいつまんだだけでなく、祝膳も貧しく、襲名記念の土産物もない粗略な扱いをも指しているのは判っており、判るだけに猶子が固く唇を嚙んで俯《うつむ》いたのが、由良子は瞼《まぶた》の裏に残っている。やがて客の去った拙々斎で、猶子は鞆子《ともこ》の膝に突っ伏して泣き、

「母さま、これほどにあなずられた襲名式でありますやろか。この口惜《くちお》しさは、私はきっと死ぬまで忘れられしまへん」

とかき口説《くど》いたが、恭又斎はそれを見ても終始無言であった。

そして家の内をぐるりと一廻りしたのち、玄関で待っていた柳庵とともに、いずれかへ立去って行った。まことに呆気《あっけ》ない別れで、家族や業躰《ぎょうてい》たちに名残りを惜しむでなく、後を頼むの挨拶もあるでなく、いうなれば庭下駄突っかけ、ついそこの角まで煙草買いに、という身軽さで、この家から姿を消してしまったのであった。

家中の誰も、いずれ後始末や、新家元の後見や、暮しの手当てのために恭又斎が一旦は戻るものと考えていたが、二日経ち、三日経っても元の主は一向に帰ってはこなかった。茶家の月替りには行事があり、とくに開炉の十一月を控えていれば一日一日が大切で、畳替えと障子の貼替《はりか》え、灰の手入れとこれだけは必ず済ませておかなくてはならず、とうとう十月晦《つごもり》の日、朝食のあとで猶子は母と仲を前にして、

「あんなあ、宗匠このままもう帰っておいやさへんのはあんまりやて思うえ。どういうおつもりか、私、これから二条木屋町《けや》の隅倉さんへ行て兄さまのお肚《はら》、聞いて来まっさかいな」

といい廻しはやさしいが、その言葉のなかには並々ならぬ決意の籠《こ》められているのが窺《うかが》われ、卓袱台《ちゃぶだい》の端にいた由良子でさえ、はっとして顔を上げたほどであった。それに対し、めっきり弱った鞆子は、

「そやなあ」

と迷い、仲は黙って手を突き、同意のほどを示してみせた。猶子は早速、

「木屋町へ行くのにけったいなかっこもしてられへん。鹿どん、あんたすぐ髪結さん呼んで来とおくれやす。着物、帯、履物も皆揃えてな。

仲は何ぞ手土産考えてや。それから人力車頼むえ。なるべく上等の車見つくろうてな」

と指図すると、自分で鏡箱を取りに二階へ上って行った。

いいつけられた鹿は暫《しばら》く台所でぐずぐずしており、それを見て仲が、

「何とでも上手にいいくるめて来てもろたらええのや。それくらいのあたま、働かんか、鹿どんは」

とどやし、鹿はへえと口のなかで返事して不承不承出て行ったが、それはこの家が長いあいだ髪結賃を滞らせているため、使いの者も髪結も渋るのだとは、まだ由良子には読めなかった。

ただ、剣《つるぎ》の間で髪を結ってもらっている猶子が近頃になく昂《たか》ぶり、髪結にしきりに注文をつけては、

「鬢《びん》、もっと張らしていな」

「かのこは浅黄やな。さらのと替えといてな」

「髱《たぼ》は上げ目に」

と丁寧に結わせ、出来上った髪は十四歳の長男を持つ母親の頭とは思えぬほどの大一

番の丸髷《まるまげ》だったのには、由良子は思わず目を見張って眺めた。

猫子は鬢付け油の匂う頭を傾けながら、鹿の揃えた着物に着替えようとし、先ず足袋《たび》を取上げたとたん、

「こんなつぎの当った足袋穿《は》いて、木屋町へ行けるて思てんのか」

というなりそれを畳に叩きつけた。声を聞いてあらわれた仲はすぐさま、

「鹿どん、なにごちゃごちゃしてんのや。足袋屋へ走って足袋買うてこんかいな」

と追出し、金も持たされぬ鹿は、また眉《まゆ》を八の字にして困りながら、通い戸をそっと押し開ける。


隠居を宣言して家から出て行った夫の実家へ乗込むのには、上から下まで輝くばかりの威勢が必要で、一部始終を見ている由良子にもその母の見栄は、もういく分かは理解できなくはなかった。やがて仲の才覚で人力車も来、つやつやした髪、おろしたての白《しろ》衿《えり》、白足袋に、風呂敷の中は少し早いが杉箱入りの銀杏餅《ぎんなんもち》、と申し分のないいで立ちで猫子は俥《くるま》に乗り、脇には仲が徒歩で従い、家の門から二人は出掛けて行った。


これが確か早昼の時刻で、やがて夕風が出て裏の藪《やぶ》がざわざわと鳴りだした頃、猫子はまた人力車を横付けにして戻ったが、それを真っ先に出迎えたのは、このところ「玄関の修行」をしている不秀《ぶしゅう》であった。

「ひゃあ、奥さま、そのおつむは」

という声を聞いて由良子は駈け出してゆき、有色軒《ゆうしきけん》の前で出会いがしらに猶子にぶつかったとき、やっぱり不秀と同じように大きな声を挙げた。

さきほど目を見張るほどつややかに結い上げられた丸髷は、根元から三寸ほどの長さでぷっつりと断ち切られ、猶子の頭は寡婦を象徴する切下げ髪に変っていたのであった。髪は女のいのち故に、それを惜しげもなく断ち切るのはよくよくのこと、いわば一大事であって、家中の者はぞろぞろと猶子について茶の間に集り、鞆子も綿のものを着重ねて寝床から起きて来た。これまで、家族の事情は勝手元や表の使用人には聞かせなかったはずなのに、いまはその抑えも取り払ってしまった様子の猶子は、まだ上気して顔面朱色を帯びており、気の昂ぶりをそのままに、とき折唇をふるわせながら、

「母さま、皆も聞いとくれやっしゃ。宗匠はなんぼ待ってても、この家へはもはや戻らはらしまへん。あの晩からすぐに妙寿庵へ入らはったそうどす。これからは坊さんの修行しはって、あこで一生送らはるて兄さまがいわはりました。

そやけどな、そやけど、それはあんまり勝手どす。隠居は認めて頂いても、いまうちは大変なときどす。ご一新からこっち、お茶をたしなむ大名さんはおいやさへんようになり、まして町衆のお弟子はほんの数えるほどになってしもたのは皆もよう知ってはることや。これから先、十四の文吉がどないして皆を養うていけまっしゃろか。女子供ばっかりになってしもた家を、どないして文吉が支えて行かれまひょか。

母さま、私は、宗匠はせめて新家元を連れてのご挨拶廻りと、昔のご縁の加賀の前田様、松山の久松様にだけは懇《ねんご》ろなご書状を書いて、跡見だけはしてくれはるもんやと思うてました。何もせんと、私らを見捨てて、一人だけ世捨びとを気取らはるて、まるで西行《さいぎょう》さんや。妻子を縁側から蹴落《けおと》して出家しやはった情無しの西行さんや」

と、切ったばかりの髪を揺らせつつ激しい言葉を吐いていながら、猶子は涙一筋流してはいなかった。

鞆子は綿入れの前を寒そうに掻合《かきあ》わせ、

「ほんなら、宗匠は、文吉のことも家のたつきのことも、何も知らへんといわはるのどすか」

と聞き返し、それには、

「口伝えどすけど、兄さまからのお話では、文吉は小さいときから既に仲がよう仕込んでる、これから先かて仲がねきにいてくれたら十分やって行かれるて、そないいわはったんやそうどす。

暮しのことは、兄さま自らのお言葉で、弟の輿入《こしい》れのとき、隅倉に残った道具類の半分は持たせたある。皆大名物のええ品ばっかりや、それを一つ残らず売り払うて、これまでずっと後之伴家の皆を養い、どうにかこうにか体面を保って来たからには、この上何をせいといわはるのや、ときつい言いようで、私はそれに対して、お言葉どすけど、うちは茶家どすさかい、お茶拡めて暮しを立ててゆかんなりまへん、そのお茶道具を片っ端から売り払うて家を支えても、それは家元の役目というもんやないと思います、て申上げたんどす。本人が是が非でも隠居を望まはるんやったら、それは仕方ないこと、とあきらめもしますけど、そのあとあとはやっぱりここにおいやして、我が子の後楯となってやるのが前家元としての勤めやおへんやろか、また親の情というもんでもありますわなあ。

そやけど兄さまは、弟の好きなようにさしてやっとおくれやす、の一点張り、跡取りも拵《こしら》えたし、今日まで足かけ十五年、後之伴家のために尽して裸のはだしで出るのやさかい、この上もう追詰めんとおいとおくれやす、といわはるばかり、なあ母さま、宗匠がもう戻っておいやさへんといわはるなら、私が髪おろすより他、仕様おへんと思わはらしまへんか。私は後家《ごけ》になりましたんどす」

と同意を求める猶子の頭を、これも白髪の切下げ髪の鞆子がいたいたしそうに眺めて、

「それでお前、隅倉さんのお座敷で髪切らはったんか」

とたずねるのへ、「へえ」とうなずき、

「剃刀《かみそり》貸しとおくれやす、て申しましたら、兄さまあわてて、ここで自害だけはかんにしておくれやす、といわはりました。私は、自害なんどはいたしません、家にはまだ仕上げんならん子供が三人もいますし、養うていかんならん者も仰山おります。何よりも

後之伴家を十三代でつぶしてしまうことは、御祖様に申しわけが立たしまへん。これからは、髪おろしてでも頭丸めてでも、地べた這《ほ》うてでも夜叉《やしゃ》になってでも、どないしてでも気張って生きてゆかんなりまへんさかいにて申しまして、仲を呼んで切らせました。切った髪は、妙寿庵へ届けて頂くよう、兄さまにはくれぐれもお頼みして戻りました」

と猶子が言葉を切ると、もうとっぷりと暮れた外の闇が寒さとともに急に茶の間に押し寄せて来た感じであった。誰も何もいわず、暫く経って鹿がらんぷを灯すと、丸く滲《にじ》んだ光の輪の中に、この家のひとたちの顔がまるで泣いたあとのような表情で浮び上り、それがまたいっそう沈黙を濃くするようであった。

やがて、卓袱台の上に載せた両てのひらをずっとこすり続けていた猶子が口を開いて、

「これから先のことは、文吉とよう話し合うて決めますけど、こんな有様やさかい、暇取って帰りたい思うひとは遠慮は要らんえ。業躰さん女子仕《おなごし》さん、皆それぞれ、ええ行先があったら行かはってよろし。どうえ」

と一人一人に視線を当てながら見廻したが、誰も目を伏せ、応答する者はなかった。

また長い沈黙があり、今度は仲が重い口を開いて、

「わしら業躰は、一生を茶の道に捧げるつもりでここへ修行させてもらいに来たもんどす。修行も半ばで今さらどの道に変えられまっしゃろか。家元がまだお小さいなら、こ

れも業躰には大きな修行どす。お助け申上げるちゅうのは口幅たいと思いますにゃけど、若宗匠はわしら業躰を十分に使うて頂いて、先代よりももっとこの後之伴家の名を挙げるよう、皆して一所懸命働かして頂きとおす。

台所かてそうやおへんか？」

と仲が後を振返ると、一番年嵩《としかさ》の竹が答えて、

「そのとおりどす。うちらどこへも行くとこおへん。西陣はいま不景気どすさかいに」

という言葉を仲が叱り、

「竹どん、お前何年奉公してるんや。世間が不景気やさかい、しょうことなしここに居るていいかたはないやろ。いい直しや」

と決めつけると、へえ、すんまへん、と竹は考え考え、

「うちらは、ここのおうちで働かしてもろてることが自慢どす。いつまでも置いて頂きとおす」

で座は和らぎ、猶子も思いが定まり、

「そうか。皆おおきに。これからは我慢せんならんことも仰山あるやろけど、一蓮托生《いちれんたくしょう》や。気張っていこ、なあ」

といえばそれで一同は蘇生《そせい》したような面持になり、それぞれ立って散って行った。

由良子はまだじっと坐ったまま、次第に上気した頬が覚めて日頃の顔に戻った猶子を

ぼんやりと見ていた。突然髪を切ったことには腰を抜かすほど驚いたけれど、それにもましてただいまの話を聞けば、木屋町へ乗込んで行っての堂々たる掛合いの様子や、それを逐一報告した上で使用人の進退を問う態度は、まるで男さんのようや、と思った。それをどれだけ頼もしく見たかといえば、いまの言葉のなかに、木屋町の柳庵に向って私はまだ子供三人を育てんなりまへん、といい切ったことがあり、子供二人ではなく三人、と確かに自分を入れた勘定に、由良子は涙がこぼれるほど嬉しかった。あの松《しょう》隠席《いんせき》で猶子から鋭い言葉を浴びせられて以来、不安に戦《おのの》いていた少女の胸は、この一言でしっかりと背後から支えられている感じを持つことが出来、とくにいまの場合、それは計り知れないほどの安堵《あんど》であった。

しかし生来気丈者とはいえ、幼い家元を盛立て、家族を率いてゆかねばならぬ猶子の重荷は並大抵のものではなく、その気持を反映して翌日から家の内は深い淵《ふち》の底のように静まり、笑い声はおろか、大声で話す者もなかった。恭又斎がいたとしても、このひとはまるで気鬱の病いに罹《かか》ってでもいるように、いつもむっつりと押し黙り、仲や猶子で用を間に合わせる場合が多かったけれど、それでも一家の柱たるべき人がいるといないとでは世間の目からして大いに違い、家うちではまたその目を推し測って何事も萎縮しがちになる。

猶子は仲の助けを借りながら、文吉を連れて先ず、古い縁を頼りに挨拶廻りを始めたが、どこの家でも「お小さい家元さんでかいらしおすなあ」「これから大変どっしゃろけど、しっかりお気張りやっしゃ」と京都特有のねぎらいの言葉をかけてくれこそすれ、ほな、明日からお稽古に上らしてもらいます、と応じてくれるひとはいなかった。

後之伴家の中興の祖といわれる得々斎時代の最盛期には、家の大増築ののち利休居士二百五十回忌を行い、その追善茶事を二年にわたり七十九回も催したが、初回には近衛忠熙《ただひろ》を招くほどの盛事であった。これを皮切りに皇族や公家諸家の知遇を得、五年後には知恩院宮尊超親王を招いて松隠席で献茶も行い、また勧修寺宮《かんじゅじのみや》のために茶室築造についての意見も具申し、慶応元年には、かねてからの念願叶《かな》い、中院家を通じて孝明天皇への献茶の儀が許されている。江戸幕府の末期まで、茶の嗜《たしな》みは大名公家たちの教養とも見なされただけに、得々斎の画策はひとつひとつ成果を挙げて実り、その頃、作った門人札は広く大きく、北白川宮、有栖川宮《ありすがわのみや》などの皇族をはじめ、京都在住の貴族のほとんどがずらり名を列《つら》ねている。いまもある拙々斎の畳廊下に掲げられたこの大きな門人札は後之伴家の何よりの自慢だったが、朝に晩にこれを眺めていた得々斎が亡くなる前辺りから、文字通り有名無実の飾りものになりつつあった。

時代も幕末から明治へと激動し、京都から東京への遷都とともに貴族はおおかた東京へ移り、京都に残ってなおのんびりと茶道にいそしむようなひとは極めて限られた数になってしまった。それでも猶子は、わずかな門弟のためにずっと出稽古を続けて来ていたのだけれど、いまはこの門人札を唯一の頼りにして、これからは文吉に継がせ、前面に押し出してゆかねばならなかった。かたわら、まだ何といっても家元の力量備わらぬ文吉の教育もしなければならず、日夜自分のそばに引きつけておいても、なお大人になり切らぬ少年なら口を尖らせて不満を述べ立てるときもある。

「母さまは僕に、人見たら頭下げて、頭下げて、といわはるばっかりや。百回頭下げてでもお弟子一人摑《つかま》えられたら大手柄え、といわはるけど、お茶ちゅうもん全然知らんひとに頭下げても、何もならんのと違うか」

というのへ、仲はすべてに猶子を立てるくせで、

「お茶は仏道修行どすがな。辻説法どすがな。石投げられても、帰れ、いわれても、一所懸命お茶の徳拡めてたら必ず耳傾けてくれるおひとが現われると思いますえ」

と、いまは露《あら》わに、文吉のたゆみない努力を要請する。

恭又斎去った翌年の正月は淋しいもので、主のいないまま、畳も替えず、障子は切張りのまま、それで元旦は例年どおり寅《とら》の刻に梅の井の若水を汲み上げ、大福茶を点《た》てて一同頂きはしたものの、祝い膳には餅一切れ、というありさまで、家中集っても会話は至って少なかった。

二日は書初《ぞ》めで、これは家内皆それぞれ言葉を選んで書き、書いたものを御祖堂に掛け並べて見せ合ったが、鞆子はふるえる手で色紙に、「大空は梅のにほひにかすみつつ

くもりもはてぬ春の夜の月」と定家の春の夢の歌を書き、由良子は「仮名におしやす」という猶子の勧めを入れ、百人一首の紫式部の、「めぐり逢《あ》ひて——」の一首を書いた。茶家の男たちは、乞われれば揮毫《きごう》もし箱書きも役目なのでとくに字の稽古には熱を入れなければならず、その言葉も大てい茶掛けのための禅語を選び、まず舜二郎が茶の心を、と日頃馴染んでいる「和敬清寂」を書けば、文吉はこの頃ようやく意味の判りかけた「啐啄《そったく》同時」をしたためた。

「これはな、鶏の雛《ひな》がかえるときの呼吸え。雛が内からコツコツと卵の殻を叩くのを啐といい、親鶏がそれに応《こた》えて外から殻を叩くのが啄やて。『碧巌録《へきがんろく》』の公案の中にあるのえ。判るか？」

と、文吉が舜二郎に説明しているのをそばで眺めている猶子は、

「言葉のわけだけやのうて、私や仲が啄、啄、とつついていることを、文吉は実際に察してもらわなあかんなあ」

と諭しながら、自分は鳥の子を延べ、男のような剛直な字で大きく「薄遊久遊」と一気に書いた。何という意味どす、の問いに答えて猶子は、

「短い旅、長い旅、ということかいな。父さまの旅はどっちゃどっしゃろ」

といいつつ、墨を吐き切ってしぼんだ大筆を硯《すずり》の上に置くその顔に、得もいえぬさびしそうなかげの浮んでいるのを、由良子はちらと盗み見てしまい、母さまも心の内では

いつも泣いてはるのやなあ、とひそかに思った。

このときの鞆子の弱々しい筆跡を猶子はつくづく眺めて、

「母さまはきつう気い落としゃはったようや。ええのやろか」

と案じていたが、その心配どおり鞆子はまもなく小正月過ぎから床に就いてしまい、ほとんど起上ることが出来なくなってしまった。もう七十四歳という年ではあったし、いままでにも寒い日はいちにち寝床から出ず、夜は陽が暮れたらすぐ蒲団に入っていたのだけれど、それでも猶子の相談相手としてはまだ十分に健在であった。立場上、愚痴のひとつこぼすことも出来ぬ猶子にとって、人の来ぬこの隠居所だけが誰憚《はばか》らず自分をさらけ出す場所であったらしい。由良子はときどき、泣き伏している猶子や、首を垂れ思案に暮れる猶子の背を、やさしく撫でてやっている鞆子の姿を見ているが、それだけに、日も夜もただうとうとと眠り続ける母の姿は、猶子にはたまらなく心細いものではなかったろうか。

節分の夜、猶子は鹿や竹に、

「厄落しのおっさんが来たら呼んでや」

と頼んでおき、夜更けに頬被りして各戸毎を廻ってくるその男に、自ら紙に捻《ひね》った豆と銅貨を二つ渡して、

「うちの厄は、今年は二つやさかいな。四つ辻へ思い切りよう落してきとおくれやっし

や」

と深々と頭を下げているのを由良子は覚えている。二つの厄とは、主《あるじ》の留守と母親の病気だとは判るものの、その二つともいつ光明が見えるとも知れないだけに、厄払いの男にさえすがりたい思いの猶子の気持は、由良子にも十分察することが出来る。

そのあと、由良子は珍しく二階へ呼ばれ、猶子から手を取られて、

「あんなあ、頼みやさかい、聞いてや」

といわれたのは、鞆子の看病のことであった。

「あのひとなあ、おとなしけど、いい出したら利かはらへんとこあるの、由良子も知ってるやろ。お医者さんに診ておもらいやす、てどないに頼んでもいやや、いわはるばっかりどす。年もいってるし、あのままやったら何時《いつ》、どんなことになるか知れへん。鹿やら竹やらの看病では心もとない思うさかい、由良子これからずっとねきについてて、世話してくれへんか」

と懇《ねんご》ろな乞いかたで、もとより由良子は拒めるわけもなかった。ただ、しっかりしてる、と褒められてもまだ十一歳なら、いいつけられたことは何とか出来てもそれ以上の気働きは望めないが、病床の鞆子はそれでええ、と由良子の手を欲しがっているという。

翌る日から由良子は隠居所で寝起きするようになり、朝の目覚めから夜眠りに就くまで、片ときも鞆子のそばを離れず、看取ることになった。由良子さん大へんどっしゃろ、

えろうおすなあ、と由良子は家中の皆から労《いたわ》りの言葉をかけられたが、自分の気持をいえばむしろ祖母のかたわらで過す日々のほうがはるかに心の安らぎがあった。病人はほとんど手はかからず、一日に二度膳を運んで来て食べさせることと、便所《はばかり》へ立つときの介添えをしてやれば、その他は瞼《まぶた》を閉じてうとうと眠るばかり、ときどき目覚めては、

「由良子、腰さすってくれへんか」

くらいの要求で、由良子は所在なさに茶に関する本をめくったり、手仕事をしたりして過す日のほうが多かった。

鞆子の病いは、やはり気落ちが原因であったのか、どこといって傷む個所もなく食も落ちず、孫娘が常時傍《そば》にいてくれる安堵もあって、春になると日中は目を開いている時間が多くなり、そのうち夏になると由良子の手を借りて起上り、寝床の上で暫く話ができるようになった。京都でもこの年、昨明治十八年に引続いてコレラが大流行し、「生もの食べたらあかん」が合言葉になっていることや、あちこちに湯屋が出来、五銭を三銭に割引いて客の呼び込みをしている話など、猶子から聞く世間話に相槌《あいづち》を打つほどまでに快くなった。またこの頃、気分のよい日にぽつりぽつりと鞆子が語る、この家の古いしきたりが、のちになってずい分と由良子のために役に立ったということもある。

この分なら、もとどおりになる日も遠くあるまい、と誰もが考えていた矢先の、九月末のある朝のことであった。

まだ夜も明け切らぬ薄明のなかで由良子は我が名を呼ばれ、はっと起上ると、鞆子が、

「お前だけに話しとうなったさかい、灯りつけてや」

といい、家中らんぷでもここだけはなお行燈《あんどん》を守っているのへ昔ながらの火打石で火を点すと、

「夜が明けたらな、聚光院《じゅこういん》へ墓参りに行て来てな。墓石の俗名は伴歌子、享年三十三歳、私の姉や。お線香上げてお前からな、『うちのお祖母さまをこれ以上もう苦しめんといておくれやす』とお祈りしてや。お祖母さまはまもなくそっちゃへ行きますさかい、お静かに成仏しておくれやす、てようよう頼んで来てや」

と口のなかで恐ろしい言葉を呟《つぶや》き、ゆっくりと寝返りを打って向うむいた。

由良子は冷水を浴びた心地がし、鞆子の痩《や》せた肩を揺すぶって大声で名を呼ぶと、鞆子は目を閉じたままの姿勢で、

「判ってる、皆判ってる」

と大きく息を継いでのち、

「由良子、いまから私のいうこと、心して聞いときおし。あんたはな、事情はどうあろうとここの家に授かった子え。そやさかい、ゆくさききっとこの家の観音さんにおなりやす。あんたが観音さんにおなりやしたら、この家の死霊の祟《たた》りは皆消えて無うなってしまいます。どうぞこの家を守ってあげとおくれやす。ええなあ、観音さんになって、

観音さんになって」

と鞆子の語尾はしだいに細くなり、やがてそれが軽い鼾《いびき》に変ったと思うと、深い眠りに陥《お》ちて行ったようであった。

由良子は、その祖母の顔に刻まれた黒い皺《しわ》と、払子《ほっす》のような白い髪を、身じろぎもせずいつまでもじっと凝視しつづけた。祖母の昔語りの中に出てくる姉妹の謎《なぞ》がふたたび現われた怖さもさることながら、この自分に、観音さんにおなりやす、と繰返し懇願されたのは身ぶるいするほど大きな驚きであった。観世音菩薩《ぼさつ》さまは憐れみ深く、大慈大悲を垂れ給い、広く衆生《しゅじょう》をお救い下される、と教えられ、共に立木《たちき》の観音さんへお詣《まい》りに行ったのは、あれは由良子いくつのときだったろうか。ひょっとすると今の言葉は、祖母の故ない寝言だったかも知れぬ、と由良子は思ったが、耳の底に残るその声音はかっきりと鮮やかで、忘れようとしても決して忘られるようなものではなかった。だとすると、或は、「お祖母さまご最後のお言い置きやったかも知れへん」とも考えられ、身も冷える思いで由良子は眠り続ける鞆子を見つめているのであった。

九月末暁がたのあの言葉を、由良子がご遺言ではないかと感じたとおり、鞆子はそのあと昏々《こんこん》と眠り続け、そしてもう再び目を明けることなく、十月五日の夕方、息を引取った。鞆子は、おだやかな気質で誰にも好かれるひとだったけれど、その長い生涯には、あの遺言に示すとおり定めし気軽に人に打明けられぬ事情もあったことと推察されるが、「謎はとうとうご自分からお墓の下へ持ってってしまわはった」と由良子は思った。七十四という年に不足はないものの寝たままでもよい、一日でも長く生きていて欲しかった、と猶子は嘆き、冷たくなった母の手を、自分の両てのひらに挟んで長いあいだぼんやりしていたが、やがて仲を呼び、

「木屋町へ使いを走らせて妙寿庵へ知らせてもろて、宗匠のお指図受けてや」

と頼み、仲は即刻お帰りのほどを、と不秀《ぶしゅう》を使わしたが、戻って来た不秀の口上は、

「柳庵さまの仰せられますのに、弟はもはや世捨びとどすさかい、いかなる場合でも人前には出られへんて申しております。妙寿庵にて亡き母上さまの菩提《ぼだい》は十分に弔わせて頂きまっさかい、おあとをどうぞよろしゅうに、とのお言葉でございました。なお柳庵さまは後刻お悔みに伺わせて頂きますと仰せられておいでどす」

とのことであった。

義母の死の後始末にも戻らぬ、と聞けば猶子はきっと激昂《げっこう》し、取乱すに違いないと思いの他、深くうなずいただけで何もいわず、かたわらの仲に向って、

「葬式、出せるか」

と聞いた。

「へえ」

と仲も思案していたと見え、沈んだ声で、

「道具屋呼んで、手違いの襖《ふすま》、持ってってもらいまひょ。あれ一枚で全部賄えるよう、私、話つけまっさかい」

と進言した。

手違いの襖とは、狩野探幽《かのうたんゆう》描く八人の仙人のうち、一人だけ左右の指が反対になっているため、そう呼ばれ、現在寒霞亭《かんかてい》に入れられており、昔から後之伴家《うしろのばんけ》の重宝の一つとされているものであった。由良子の目から見ても、床の掛物も立派なものが次々とこの家から姿を消してゆくのに、この上襖を剝ぎ取られればどうなることかと思うけれど、猶子は顔色ひとつ変えず、うなずいて、

「母さまへの供養やと思いまひょ」

と許し、

「近所の手前もあるさかいに、夜になってから持ってってもろうてや」

とだけ、仲に注意した。

茶道はいま下火の時代だとはいっても、京の名家の先代夫人の死ともなれば弔問客は引続き訪れ、輌子の亡骸《なきがら》は拙々斎に移して通夜を営むあいだ、由良子はひとり、寝床を払った祖母の隠居所を片付けた。小さい頃から、この家のうちで祖母がいちばん親しく慕わしく、あの夜、このひととは血の繫《つな》がらないわけが判ったあとでもそれは少しも揺

がなかっただけに、由良子はたまらなく淋しかった。まだ死の意味が十分判っているとはいえないが、この部屋に身を横たえ、朝に晩に我が手でその髪を梳《す》いてあげたひとが、忽然《こつぜん》と消え失せてしまったのは、両手に握っていたものがぽろりと欠け落ちてしまったように、心細かった。とりわけ「お前だけに」と最後の言葉を託され、その望みどおり聚光院への墓参はすませたものの、何やら深い秘密があるらしいのを、自分ひとりの胸に納めておくのも、死の悲しみをいっそう重く濃くするように思えてくる。

四帖半のこの部屋は、茶家の隠居所らしく半間の踏み込み床に簡単な水屋もついており、得々斎の肖像画を飾ってある鏡箱の後側に反故《ほご》貼りの押入れがあった。由良子は押入れに首を突っ込み、猶子から命ぜられた、

「お棺のなかへお供させせんならん着物があったら出しといてな」

の言葉どおり、柳行李を開け、手を入れて下から混ぜ返してみたが、どれも見慣れた普段着ばかりで、ここには目ぼしいものは何にも無いように思えた。あきらめて行李の蓋を閉めようとしたとき、ふと固いものに手が触れ、引出して包みを解いてみると、それは小さな茶箱であった。箱は桐木地の利休形で、波に千鳥の紋様があり、中には小ぶりの楽茶碗、棗《なつめ》、茶筅《ちゃせん》筒、茶巾筒、振出しが入っていて、それをひとつひとつ取上げて眺めると、次第に記憶が引寄せられてくる。

祖母が子供たちを集め、瓢簞《ひょうたん》型のこの振出しからおのおののてのひらに小さな金米《こんぺい》

糖《とう》を載せてくれ、そしてまたいつもの得々斎自慢がはじまり、

「これは茶箱点てていいましてな、野点《のだ》てやら旅の用にと、お祖父さまが編み出されはったもんどすえ。何もかも小そうてかいらしおすやろ。まるでままごとみたいどすなあ」

と、さもいとしげに撫で廻し、眺めていた様子がいまはっきりと浮んで来る。

由良子が、この茶箱の銘が「夕千鳥」で、茶箱点ての平点前《ひらでまえ》とされている卯の花点前に使うものだと知るのはずっと後のことだが、祖母の愛着一方ならぬ品であったのが判れば、由良子はいま、これを自分だけの形見として手許に欲しかった。猶子に渡せばお棺の中に入れるか、入れないまでも倉に蔵《しま》い、この家の什器《じゅうき》とされるに違いなく、それは今日まで、密かに押入れに隠しとおしていた祖母の本意に背くものではないか、と由良子は思った。もっとも、子供の知恵は、これをこれからどこへ隠すかとなると忽《たちま》ち行詰まってしまい、親に内緒事をする怖さも伴って、全身汗が噴き出る思いだったが、結局、自分の下着を入れる簞笥《たんす》の曳出《ひきだ》しに忍ばせるより他なかった。この簞笥は日頃、鹿が始終開け閉めし、暴かれる恐れはあったものの、茶箱の内寸法は縦横六寸五分の四寸二分、高さ三寸八分で曳出しの深い簞笥にはすっぽりと奥深く入ってしまうのは、とりあえず有難かった。

手違いの襖のおかげで、鞆子の葬儀は後之伴家十一代夫人としての体面はようやく維

持出来、続く七日毎の法要も、大徳寺僧侶の手によって滞りなく終えることが出来たが、そのあと家うちはやはりぽっかり穴の開いたようにわびしかった。

京の町ではどこでも一日《ついたち》と十五日には小豆《あずき》の御飯を炊いて無事息災を喜び、とくに習い事をしている者たちは一日には必ず朔《さく》の祝を持って師匠の家へ挨拶に行く。後之伴家も、全盛の頃には玄関に引出物が山と積まれ、台所の女子仕の端にまでうるおったものだったが、年々その数は減ってゆき、今日この頃ではほんの数えるほどになってしまっている。亡くなった得々斎はこれを、

「ご一新で、皆礼節を忘れてしもた」

と嘆いていたが、その後ようやく世が定まっても挨拶に来る人数の増えることはなく、そのうち恭又斎《きょうゆうさい》の代になると、衰退の理由として、

「宗匠がまだ若いさかいな」

とささやかれ、そしていまごろになって弱冠十四歳の当主が家督を継いだ噂《うわさ》が拡まり、

「やっぱり、子供ではたよりないなあ」

と、次第に寄り付かなくなるような按配であった。加えて鞆子の喪中でもあり、家中火の消えたようななかで、一時は固く忠誠を誓った業躰《ぎょうてい》も女子仕もいつのまにか伝手《つて》を頼って一人減り二人減りし、小正忌の祀《まつ》りの頃には台所は鹿一人、業躰は仲と不秀だけになってしまった。

家のうちがどんなに衰えようと、茶家として立っていれば毎日茶を点てねばならず、茶を点てるのには用意が要り、用意にはまた金という厄介物が無くては叶わぬ。薄茶一碗を振舞うのでも、季節の惣菓子と抹茶は無論のこと、月に合った道具組みと、茶筅帛紗《ふくさ》の吟味、どんなに簡略な席でも飾りものは考えねばならず、そうすると応永の昔の、東寺南大門前の茶売り、伝えられる「一服一銭」よりはるかに高くついてしまい、猶子はときどき、

「ただやのは水だけえ」

と笑うが、その水でも仲にいわせると、

「井戸替えも、せんなりませんさかいな」

ということになる。

三代秀旦が前之伴家に庵を作ったとき、よくよく地下の水の利を見極めた上、この地を選んだものと見え、三伴家ともに同じ水脈の上に建っていてよい水質の清水が滾々《こんこん》と湧き、この水で点てた茶はさすが、といまなお感嘆されるが、それだけに井戸の手入れも決して怠ることは出来ぬ、と仲はいう。水も含めて、家を維持してゆく費《かか》りに、入って来るものは到底及ばず、後之伴家の借用金は、もうこの頃、界隈《かいわい》では知らぬ者はないほどであった。

朝夕ラッパを吹いて売りにくる豆腐屋も、後之伴家の前だけは音をたてずにそっと通

り抜けるといわれ、それはこの家から呼ばれたが最後、「つけといてや」の一言で金もくれずに持って行かれるという話や、或は金の代りに古い簪《かんざし》や櫛《くし》を押しつけられる故に、さわらぬ神と決め込んでしまうという話、また、二、三年前に創刊した日出新聞のしつこい勧誘も、さすがに後之伴家だけは除《よ》けて通るという噂、またこの頃よく出廻る聖護院《しょうごいん》、吉田、岡崎辺りの大根売りも、「後さんへ、ただで取られるよりは売れ残ったほうがましや。おつけもんにでもなるさかいな」と、この小川通りへは荷車は引入れてこないということも真偽のほどは判らないまま、拡がっている。

それでも猶子はしっかりと気丈で、朝毎に薄い一碗の粥《かゆ》を前にし、かつて三代目の祖が「乞食秀旦」とまでいわれた孤高の精神と、不如意の暮しに耐えたことを説き、

「これもお茶のための求道どす。行どす。かえって有難いことやと思わなあきまへん」

と文吉を励まし、子供たちの前では怯《ひる》む姿、萎《な》えた様子は少しも見せなかった。

しかし由良子は、祖母の亡きあと、日一日とさびしさを増し、一人でいると故もなく、ときどき涙が滲んでくるのであった。華族会館は、謝礼の支払いが溜まり、舜二郎ともどももう通えなくなっているし、ここからは新猪熊東町の乾隆小学校がいちばん近くて、舜二郎だけはその後入学手続きはしたものの、やはり月謝を含めて月二十銭の経費は重すぎて、この頃では仲が、

「読み書きそろばんくらいなら、私が教えさしてもらいます」

と常時手許に引きつけている。

逼塞《ひっそく》の暮しというのは、訪れるひとも少ないため家中いつも死んだように静かで、誰も考えて諍《いさか》いなどせず、また笑い声も立てぬ。由良子の毎日は鹿の手伝いでおおかた終始し、表に出ることは極めて少なかった。祖母が存命の頃は、たとえ病人であれ、その傍に坐っていると何となく柱に凭《よ》りかかっているような感じがあって心和《なご》んだのに、いまはそれが無くなり、衿もとから風が吹き込むように冷たくさびしい。

猶子はもともと、万事につけ懇《ねんご》ろな気質ではなく、それは三人の子に対しても差別なく変らない態度だけれど、日が経つにつれ、由良子は猶子が遠ざかって行くように思えてならなかった。正しくいえば、猶子の姿が薄れるというよりも、母親としての猶子が消えてゆく感じがあり、またそれは、この家が傾けば傾くほど、子供になどかかずらってはいられなくなり、事実上の当主として奮い立たねばならないせいもあったと思われる。

由良子はときどき、ふと気が付くと妙寿庵のだいこくさん、とたった一言、襖越しに洩れ聞いた自分の生みの母のことを考えている折があり、そして必ずもし叶うなら一目会いたい、と思う気持が頭を擡《もた》げて来る。あのとき以来、母の話は誰からも聞かされたこともないだけに、深く考え込んでいるとそれはいつのまにか祖母の姿に重なり、まだ見ぬ母はこの上もなくやさしくあたたかいひとに思えてくる。きっとみめ形もうるわしく、心ばえこまやかに、万端心得があり、それ故に父さまを引きつけられたのだとひとり推測してみるのであった。

　ただ、母を恋う気持の裏側には祖母の最後の、どうあろうとお前はこの家の子や、そやさかい観音さんにおなりやす、といった言葉はぴったりと胸に貼りついており、自分が妙寿庵の母に会いたいと思うのは、祖母の一期《いちご》の願いに反するものとの自責の念はある。猶子がいま、「地べた這うてでも夜叉になってでも」家を守り、子を養って行こうとしている様子はよく判るだけに、ともすれば妙寿庵を目に浮べようとする自分を、由良子の本性はきつく叱っているのであった。

　輌子が逝った翌々年、師走も半ば過ぎの昼さがり、寺男と見える尻端折《はしより》の老人が訪れ、恭又斎からの使いと名乗って文筥《ふばこ》を差出した。いまは郵便制度も普及し、二銭切手を貼れば全国どこへでも届けてくれるのに、未だに朱房で結んだ蒔絵《まきえ》の文筥に書状を入れるところなど、いかにも宗匠らしい、と呟きながら、書き出しに伴秀室殿、と文吉を指した巻紙を猶子はひらいた。

　内容は恭又斎の兄、柳庵の死を報じたもので、かねて持病の胃腸病治療のため、和歌山の磯江家に母とめ共々身を寄せていたが、このほど病革《あらた》まり、十二月九日同家に於て死去、享年四十一、と簡潔に書かれてあり、なお追而書《おってがき》に、葬儀は紀州了法寺に於て近親者のみにて相営み申候故、香奠《こうでん》並びに弔問の儀はご無用に候、この件固く申し置き候、と恭又斎の頑《かたく》なな口調そのままの文言であった。

手紙を読んだ猶子はすぐそれを文吉と仲に渡し、廻し読みした二人の顔を見ながら、

「なあ、どうやろなあ。宗匠は隠居はされてますにゃけど、私と離縁したんやない。いまだに宗匠の兄さまは私の兄さまや。旅先で亡くならはったんを、こっちゃが知らんというならともかく、こうやって後からでも知らせて来てくれはったのに、そうどすかではすまされへん」

といえば、この頃何につけ意見を述べるようになった文吉は引取って、

「そやけど、父さまは弔問無用、ときっぱり添え書してはりますやおへんか。余計なことしたら、かえって父さまのお顔汚すことにならしまへんやろか」

と慎重で、それに対して仲はしばらく考えていたが、

「木屋町の家では、ほなもうお祀りはしやはらへんのどすな」

と聞き、猶子がそれに、

「あちらも次第弱りどす。木屋町のほうは家も何も彼も始末しやはってから、姉さまの縁付いた先の磯江家へ居候してはったんと違いますか」

といいさし、由良子と舜二郎に気付いて、

「子供はあっち行っといやす。大事なお話があるさかい」

と追い払った。

由良子はさきほど、柳庵死去と聞いたとき、胸の奥深く隠し持っていた望みの糸が、悲しい音を立てて切れてしまったような感じであった。由良子に対して木屋町の伯父さまはいつもとてもやさしく、会えば必ず小遣いを握らせてくれるが、いつかの夜の寄合い以来、何故《なぜ》か生みの母と柳庵とがしっかり結びつき、もし自分が母に会う日がやってくるとしたら、それはきっと、この伯父の労によるもの、と思い込んでいたところがあった。日頃から柳庵は弟にやさしく、あの夜も、降りかかる針のような言葉の雨から恭又斎を庇《かば》い続けていたのを覚えており、由良子は自分に対しても強い味方だと信頼していただけに、その死の報《し》らせには深い落胆を覚えずにはいられなかった。

茶の間の談合はずっと続いていたが、夜に入ってのち猶子は由良子と舜二郎に、

「明日、文吉と仲が妙寿庵へ行《い》て父さまにお会いし、お許しをもろて和歌山の伯父さまの許へ参って拝ましてもらうことにします。二、三日留守しますさかいな」

と告げた。

聞いて由良子は、そんなら兄さまは私の母さまにもお会いするのやな、と思い、胸が昂《たか》ぶったものの、それは当然口に出せることではなかった。

二人は翌朝、暗いうちに十徳姿の正装で家を出たが、二、三日かかると聞いたにもかかわらず夜に入って戻り、三人で長いあいだひそひそと話し合ったのち、また翌日、今度は仲だけが出掛け、これも日帰りであった。これを皮切りに、仲ひとり、或は文吉と

二人連れ立って妙寿庵へのひんぱんな往復が始まったが、それが必ずしも柳庵の供養の話ばかりではないことは、由良子にも察しが出来た。話の端にでも、ひょっとして母の噂など出はすまいか、と聞耳を立てている身に、隅倉の跡目、という言葉がたびたび聞えて来、由良子もそこまでは想像もできず、やがてあわただしく明治二十一年も暮れた。

そして年明けの一月末、由良子は改まって猶子に呼ばれ、人払いした二階へ上って行った。話はやはり、隅倉の相続の件で、由良子はこのとき初めて、父の実家、隅倉家の由来に就て猶子からじきじきに聞かされたことになる。

隅倉は安土桃山、江戸期を通じての豪商で、もとは医家だったが、了依の代から土倉業を営み、その子元庵とともに隅倉船を仕立てて南方への朱印船貿易に従事し、莫大な利益を上げたという。また国内でも河川の掘削《くっさく》によって通商路を開拓し、とくに富士川天竜川、また大堰《おおい》川鴨《かも》川に顕著な業績を上げ、以来高瀬川の支配一切を任されて巨万の富を貯え、茶屋家、後藤家と並んで京の三長者と呼ばれたそうであった。隅倉は江戸期に入って二条木屋町の京隅倉と、嵯峨《さが》の隅倉と二家に分れ、ずっと幕府の代官職を世襲、大名扱いを受けたが、その暮しもまた、大名をはるかに上廻る豪奢《ごうしゃ》なものであったらしい。何しろ高瀬川を上り下りする商い舟について通行料を徴収する仕組みであったから、坐して入る貨財は夥《おびただ》しく、隅倉の家族には却《かえ》って金を軽蔑する気風も生れ、恭又斎は

とくに、金に手を触れるのを極度に忌みたという。伴家に入ってのち、是非なく金を弄《いじ》

ったときには、その後塩で手を浄《きよ》め、よくよく水で洗ったほどであった。

この豪商の崩壊が始まったのは明治維新からで、先ず広壮な邸《やしき》は恰好の政府の公的機関となり、明治二年に隅倉の各河川支配を停止されたのを始まりに、邸は分断されて順次、舎密《せいみ》局、欧学舎、織殿などに宛てられ、隅倉への政府からの手当てとしては明治四年に、たった四両を下されただけであったという。

恭又斎は没落の有様を妻の猶子にさえ語るのも嫌い、

「あさましいもんやなあ、人間て。家がつぶれたら我先にと使用人は退職金の要求やった」

とだけしか明かさず、また家を乗っ取った新政府を激しく怨み、とくにその中枢部を占める長州薩摩の人間を蛇蝎《だかつ》の如くに怨み嫌ったそうであった。それについて猶子は、

「私はこんなさもしいこといいとうはないけど」

と前置きしながらも、何といっても大隅倉のこと、新政府は資金欲しさに富豪壊滅政策を取り、その犠牲になったとはいえ、職と邸は取上げられても、中身の道具類はご随意、という抜け道があったという。

何といっても、ご朱印船で安南国との取引があり、日本から武器や紙などを積んで行った戻り船には紅茶や羅紗《らしゃ》織物、沈香《じんこう》に薬など商いの品の他に、彼の地の焼物細工物、珍しい道具類など自由自在に手に入れられ、邸内はまるで宝の山の如く、それに加えて、

元庵はなかなかの教養人であり、光悦、宗達とともに嵯峨本を刊行し、自らも能書家として「洛下の三筆」と唱えられただけに、

「そやさかい、光悦さんやら松花堂昭乗さん、近衛三藐院《さんみゃくいん》さんなどのご立派な消息文が、そこら辺りの襖に何気なくぺたぺたと貼ったあったていいますさかいな。使うてるもんに退職お手当てが欲しい、いわれても、例えばそこらに見える宗達さんの風神雷神の下書きの反故一枚、ちょっと剝がして上げれば、それで一生食べていけますがな」

というのを聞いて、由良子は心ひそかに、父さまはこのお道具類で大そうなお支度をして、この家へ婿入りしやはったんやなあ、と思ったが、それは猶子にはいえなかった。

恭又斎の父真宮は豪気な人だったが、既にご一新前に他界し、長男の柳庵は、家邸召上げの際、鴨川に面した一棟を自分たちの住居として確保するのがやっとで、そのあと三百人以上もの使用人の整理、弟の婚礼、と任務重く、道具を売っての居食いではじりじりと追詰められ、その上、近ごろでは恭又斎の隠居と心労重なり、とうとう先年、二条木屋町の最後の邸も手離さざるを得なくなり、姉の嫁ぎ先の元紀州藩士の磯江家へ、母ともども身を寄せていたらしかった。

「そこでな」

と猶子は膝を進めて、

「木屋町の伯父さまは、そんなこんなでとうとう嫁さまももらわれずじまいになってし

まわれました。そやさかいお子も無し、このままでは京隅倉は絶えてしまう、思いましてな。その相談のために文吉をたびたび妙寿庵へやりましたんどす」

と猫子は言葉を切り、ちょっとの間、由良子の顔を見つめていたが、

「父さまは最初、隅倉がつぶれてもかましまへん、ばっかりいわはって、取付く島もおへなんだんどすけど、ようようお考えが変らはって、由良子にならも継がせてもよろし、というおつもりにならはりました。お気の変らんうち、お前は伴家から籍抜いて、隅倉に入籍し、これからは隅倉由良子を名乗ることになります。よろしな」

由良子は念を押され、たちまち湧き上って来る不安のなかから、

「ほしたらあの、母さま、うちはこの家を出て紀州へ行くのんどすか」

と問うと、猫子は手を振った。

「そんなん違う違う。名ぁが変るだけどすがな。そやけど、ま、強いていうたらやな、隅倉の本家の当主がお前になるわけやさかい、これからは隅倉に関わる用事一切、うちが片付けんならんことにはなります。皆して手伝いますがな」

と説明するのへ、由良子はもうひとつ不審を糺《ただ》したく、

「隅倉のご当主やったら、舜二郎のほうが似合うてる思いますのやけど。うちは女やし」

と口ごもりながらいうと、猫子は急に眉根を暗くして、

「由良子、お前は父さまのおいいつけに背くつもりか。舜二郎は舜二郎で、また別の役目もありますがな」

と語気が強くなり、由良子はそれ以上何も聞くことが出来なくなって、はい、と頭を下げた。由良子はもう十四になっていて、以前の華族会館の同い年の仲間のうちでは嫁入りしたひとも珍しくなく、また十になるやならずのうちから一人でしっかりものを考える境遇に置かれていたこともあって、このときの猶子の言葉には、由良子は多くの疑問を抱かざるを得なかった。

京、嵯峨の二家に分れた隅倉には、同姓を名乗る一族はたくさんあり、それはこのあと、柳庵の中有《ちゆうう》の祀りに、隅倉本家の跡目披露をも兼ね、菩提寺の二尊院に同族参集したとき、そのあまりの多さに由良子はびっくりした。集うひと八十人、墓石だけでも三百はあり、それが一町四方にわたってびっしりと櫛比《しつぴ》するさまはいかにも壮観で、この名家の歴史の長さを思わせるのに十分であった。

このとき由良子は不秀に付添われ、伴家のコマの紋のついた黒木綿の着物で出掛けたが、恭又斎は親戚一統に由良子を紹介したあと、一間に入ってしみじみと、

「これからお前は、扇にかたばみの隅倉の紋どころにお替えやす。この紋を誇りに思うてお暮しなはいや」

と、短い言葉ではあったが腹に沁み入るような声でいい、由良子は急に胸がいっぱい

になってさし俯《うつむ》いた。

その声音には、億万長者の隅倉もいまは倉屋敷すべて没収され、住むに家なき有様だけれど、富は四散しても先祖から伝わった名流としての素養と自尊は、どうぞお前が引継いでくれよ、という恭又斎の心願が込められているように思われ、それに対して由良子は何か力強い言葉を返そうと思ったものの、自分の力の無さが省みられ、何もいえなかった。

この日の法事は隆盛の時代の隅倉とは違い、それに柳庵も早逝とあって一座の空気も沈みがちで、まだ日の高いうちにすべて終り、由良子は恭又斎とは二尊院の薬医門の前で別れた。その際妙に離れ難く、そして口のなかで、

「母さまに一ぺん会わせて頂きとおすにゃけど」

という言葉を転ばしていたが、それも遂に声にはなり得ず、心を残したまま、小倉山を下った。

由良子は不秀と並んで歩きながら、胸にわだかまっている疑問がなお噴き上げてくるまま、

「隅倉のご親戚は皆、ご立派なお方ばっかりどすなあ。やっぱり跡取りは舜二郎のほうがよかったと思いますけどなあ」

と答えを求めると、控え目な不秀は遠慮がちに、

「私はよう知りまへんけど、舜二郎さんは行末、業躰として表一切の取締りをなさらはるお方やおへんのどすか。毎日のお稽古も、そのようにお見受けしてますのどすけど」

と話してくれたが、そう聞けば由良子はいっそう怪訝《けげん》でならなかった。

伴家は代々、長男だけが伴姓を名乗り、次男以下は他家を興して別姓になるか、或は養子に出るのが不文律となっているなら、舜二郎が隅倉を継ぐのが最も道理に叶っていると由良子は考える。女が家を守る荷の重さは猶子の姿を目前に見ているだけに、自分がそれに耐え得られるかどうかの自信がなく、また舜二郎の行末を考えても、当主の下に付く業躰の身分よりも、落ちぶれたりとはいえ、隅倉の名跡《みようせき》を持つほうがはるかに有利ではないかという判断まではできるのであった。

少しずつ由良子が判りかけてくるのは、文吉の縁組について話が持ち込まれるようになってからで、それは由良子が隅倉を継いだ一年後の辺りからではなかったろうか。猶子と仲の訓育のせいで、文吉はようやく家元らしく成長し、恭又斎から家督を譲られた翌年には、大徳寺管長から法諱《ほうい》を頂き、円諒斎と号して、公式の場へも一人で出られるようになった。猶子は早くから、

「悪い遊びを覚えんうちに、早う嫁さんもろてやりたいと思いますさかい」

と知合いを通じて相手を捜していたが、なかなかよい話には出会えなかった。

京の町の縁組は、まず家と家の釣合《つろく》い、をいい、釣書《つりがき》という経歴書を交換し、両家で

検討してのちやっと見合いの段取りになる。伴家とつろくする家となると数は限られ、その上嫁いで後、奥向きを束ねなければならぬ茶家の女房ともなれば本人の器量も重要な条件となるため、嫁捜しは難しかった。

猶子がいささか焦るのは、青年期を迎えた文吉はもう母親の手に余る、と思えるときもあり、最近猶子が唇を噛んで譲歩せざるを得なかったことに文吉の信仰の問題がある。伴家は利休以来、大徳寺と密接な関わりを保ち、従って宗旨は禅宗を揺ぎなく信じ続けて来たが、文吉が母に無断で入信していたのは法華宗であった。文吉は子供の頃からずっと、夜は二階の猶子の部屋に並んで寝ていたが、外出の戻りがしばしば夜半になるのを気付いたのは、文吉十六、七の頃ではなかったろうか。花街のなかには「わし後《うしろ》や。後之伴家や」と一言明かせばすべて呑込んで遊ばせてくれる家もまだ無きにしもあらず、一日猶子は文吉を膝前に呼んで糺《ただ》すと、意外にあっさりと、

「日蓮さん拝みに行てますのや。母さま法華経て有難うおっせ。草木国《そうもくこく》土《ど》悉皆《しっかい》成仏《じょうぶつ》、うちも皆して南無妙唱えたら、家が栄えると思いますのやけどな」

と述べるのを聞いて猶子は仰天し、

「まあお前、そんなことが聞えたら、大徳寺さん怒らはりますがな。何でまた、そんな」

とおろおろするのへ、文吉は悪びれず、きっかけとなったのは幼友達でいまは大工の

一平だといい、試しにどうえ、と連れて行かれたついそこの妙顕寺で僧の説教を聞き、ぱっと目の前の暗雲が晴れたような気がしたという。

「母さま、僕な、家元になるの、嫌で嫌でしょうなかったんや。お茶好きやないし、ややこしいし、難し本も読まんならんし、人にもへこへこせんならん。できるもんなら舜二郎と替ってもらいたい、と思うたし、またこんな家から逃げ出したい、と何べん考えたか知れへん。一平に誘われたんはそんな最中やった。

お説教聞いてお題目唱えてると、僕は心が落着いてくる。穏やかになって、自分のさだめをうらめし思う気持も薄らいでくる」

堂々と話すその表情は、なるほど一頃の、家元の重圧の故か青ざめておどおどしていた文吉とは違い、いかにも晴々とさわやかに見える。猶子は我が子のこんな変化にも気付かなかった自分を悔いながらも、

「それでも日蓮さんはあかん。大徳寺へ顔向けできひん。おやめやす。すぐにおやめやす」

と必死でとどめたが、文吉は思いとどまらなかった。

茶禅は一味、の精神を頂いて来た茶家で、突然宗旨を変えることはできない相談だけに、猶子は仲の力まで借りて懸命に説得に努めたけれど、文吉の意志は固く、結局、禅の心を失わず法華宗は文吉一代限りとし、その固い誓約のもとに許さざるを得なかった。

文吉はそのあと、二階の一室に日蓮を祀り、もはや憚るところなく朝夕に題目を上げ、妙顕寺へのお詣りも欠かさなかったが、その姿は由良子から見て、家元という責務がいかに兄を苦しめているか、目の辺り見るように思われるのであった。十四という年から、余儀なく背負わされたその重い役目を、文吉は家訓を破ってまでも日蓮信仰によって心のうちで軽減したかったのだと見れば、由良子はいっそう兄がむごく思えてくる。

しかしながら自分も思いがけず、隅倉当主の身分を継ぎ、舜二郎は業躰にとどまる、と聞くと、この家の複雑さがいまさらに思われ、この上は兄さまに早くやさしい嫁さまを、と祈らないではいられなかった。

第三章　山賤《やまがつ》の門

猶子《ゆうこ》が文吉の結婚を急ぐ理由については、いたしかたなく一代法華を許したことをも含め、悪い遊びを覚えぬよう、脇道へ外れぬよう、しっかりした楫《かじ》取りを娶《めあわ》せたいと願う他に、もうひとつ、是非に、と思う件がある。

それは、この茶道衰微の世にあって、前之伴家だけは以前と少しも変らず、着々と折目の行事を遂行していることで、まず、恭又斎《きょうゆうさい》が隠居した翌年の明治十九年には、北野大茶会三百年記念の茶会を催し、続いて二十年には十一代秀左が京都御所に上って明治天皇に献茶申上げ、二十二年には利休三百年忌大茶会を開いて京内外の名士を招き、茶道健在の威力を見せつけたばかりでなく、二十三年には同家五代請流斎の二百年追悼茶会を予定しているという。

前之伴家は、利休から数えて三代秀旦の時代に後家《うしろけ》と分れ、四代で紀州徳川家に仕え、以来格別の引立てを蒙《こうむ》り、さらに七代秀左のときから財閥五井家の後楯も得て安定し、後之伴家《うしろのばんけ》とは同じ敷地内にあって表裏一体の密接な関係にある。明治維新の際、前家も後同様紀州の禄を離れ、打撃を蒙ったが、五井家鵬池家《ほうのいけ》その他の援助もあって、少なくとも表面茶家の面目をつぶすことなく、無事今日に至っているのであった。

口さがない京雀《すずめ》たちは、小川通りに並んだ二つの門を見て、前さんはお城の門、後さんは山賤《やまがつ》の門、というが、そういう噂について猶子はべつに不快な思いを抱いたことはない。何故なら、前家のいかめしい武家門は文政年間、紀州の徳川治宝《はるとみ》を迎えた際に建てたもので、この家が大名茶を建前としているのは筋だと思えるし、後の兜門《かぶともん》が形は兜に似てはいても、草庵に似つかわしい風情であることを思えば、こちらは茶の根本理念の侘《わ》びを象徴していると考えられるからであった。

両家は、亡き鞆子《ともこ》が孫たちに繰返し聞かせていたとおり、七代八代と続いて前から後へと養子を送り、そのあともなお前家は後見を怠らなかったが、そういう濃密な血族の親しみが薄れて来たのは、後家へ武家から得々斎をもらった頃からではなかったろうか。そうでなくてさえ、親族は相食《は》むの譬《たと》えどおり、外に向ってはやむなく結束はするものの、内部では陰々とした熾烈《しれつ》な戦いがあり、三伴家とも互いに相手の繁栄を快からぬ思いは強く抱いている。とくにご一新以来、前と後では絶えず向うの動静を窺《うかが》っているようなふしがあり、板戸一枚の普請でさえ、すぐ相手の懐勘定を推しはかるような慣いとなっているものの、それはどちら側も決しておくびにも出さないものであった。

こういう気配をよく知って育った猶子だけに、さきごろの恭又斎の隠居と文吉の相続ほど肩身の狭いものはなく、鞆子にだけはかきくどいて、

「私のことなどどうでもよろしおすけど、これで前家と武者家へ対し、この後は顔向けできひんことになりました。それがいっちつろうおす」

と、この気丈なひとが口惜し涙にくれている姿を、由良子でさえはっきり覚えているのであった。

後之伴家は、恭又斎が婿入りして以来、これといった茶会はほとんど催しておらず、明治九年の京都博覧会のとき、御所内において開かれた茶会には、既に隠居したはずの得々斎が亭主を勤め、婿の恭又斎が家元として公けの席に出たのは、七家元交代で行われる北野神社の献茶祭保存会だけであった。猶子はそれについてべつに不服を抱いたわけではなかったけれど、いま恭又斎が去ってみれば、改めて後之伴家として立派に釜を懸けてみせたい思いが強くよみがえってくる。

茶会を催せば人が集り、人が集れば茶道は拡がり、そして家の内証はうるおう。そればかりでなく、主客の一味同心の歓びはこの上ないもので、茶席の掛物、飾り物、道具組みをなかにしての会話の弾み、やりとりの楽しさ、得るもの多きことの有難さをしみ

じみ思う会果てたあとの味わいなど、考えれば考えるほど、いま、後之伴家にとってそれがどれだけ重要であるかは、猶子ならずともこの家の人なら皆判っているはずであった。

まして、利休三百年忌ともなれば祖を一にするこの後之伴家が、手を束《つか》ねてそれを眺めているほど口惜しいことはなく、その招きの使者が、

「庭伝いでも用が足りるのどすけど、改まった会どっさかい、お玄関から」

といいながら現われ、案内の書状を託して帰ったあと、それを開いた猶子は、思わず血が滲《にじ》むほど自分の唇を嚙みしめた。

これより二年前、前の十一代秀左が京都御所へ上り、明治天皇に献茶申上げたことを聞いたとき、猶子は少しもたじろがず、

「天皇さん貴人《きにん》さんにお茶差上げるのは、三伴家うちではこの後がいちばんどっせ。私が十六のときにも、父さまは孝明天皇さんに濃茶《こいちゃ》の『龍の影』と、ご自分でお削りやした白竹の茶杓とを献上いたしましたのえ。いまごろ前之伴家が献茶のどうのといわはっても、何ちゅうこともおへん。文吉は落着いててよろし」

といい聞かしたが、利休三百年忌の茶事ともなれば、ただいまの後之伴家の力ではどう張合うべくもない。

茶会を催すのには、その名目ゆかりの品々を揃えて話題を集めなくてはならず、そう

考えると、猫子の目にがらんどうになってしまった倉の内部が浮んでくる。茶家の伝承として、女は固く倉の内部をのぞいてはいけないことになっているものの、この家を継ぐ一人娘として父得々斎存命の頃にはいく度か立入り、一階の棚、二階の棚にずらり並んだ木箱の威容を目に灼《や》きつけている。

そして恭又斎がこの家を去る日、寛政元年八月吉日、と記した木札にぶら下っている倉の鍵《かぎ》を猫子に渡し、

「文吉成長の暁まであんたが預ってあげとおくれやす。今さらあんたに隠すこともおへんやろし」

との言葉だったが、猫子がこの鍵を手にして以来、ついに一度も案内状をしたためるほどの茶会をひらいたこともなかったし、従って倉へ入って道具類を吟味する必要もありはしなかった。

鍵を開けて入ってみたところで、中は鼠が走り廻っているだけのこの倉で、いまさら人を招いての茶会など出来るわけもなし、ましてや御祖祭《おんそ》などはとうてい手も届かないだけに、猫子の口惜しさは出口もない。家中寝静まった夜になると積る思いが押寄せて来、眠れないまま朝を迎えることも多くなっている。油を惜しみ、日が暮れたら早く寝るよう家中に触れているだけに、夜は一年中長く、その闇のなかでこの頃しきりに思うのは、この家に生れ育ち、そして死んでいった多くの御魂《みたま》に、いまの袋小路を切り拓《ひら》い

てもらえるよう天助を念じることであった。

いま猶子は、恭又斎隠居のあと、この家を支えるため自分に出来ることはすべてし尽した、と思っている。父得々斎時代のゆかりの家は無論、僅かの縁を頼って隅々まで文吉とともに挨拶に廻り、倉のなかの重要文書までも金に代えて配りものをし、一人でも茶に対する理解を深めてもらうべく焦ってはみたけれど、誰も手をさしのべてはくれず、誰も助けてはくれなかった、と思う。老分の毛野にいわせると、「憚《はばか》りながら、後之伴家の窮乏は底が入ってますな。一旦陥《お》ち込みはったんを、恭又斎さんの時代にちょっとでも持上げてもろてたら、いまもう少しやりやすかったんやおへんやろか」

といい、援助については、

「焼石に水どっさかいな。ここを何とか自力で切抜けておくれやす。わたしら皆、それを祈ってますのや」

と身を引き、それも尤《もっと》も、と思いつつも、猶子はつい我にもなく人を恨みたくなってしまう。

先祖からの御魂は、こういう場合、どう乗越してきたか、教えとおくれやす、助けとおくれやす、と一心込めて祈るしかないが、ただひとつ、系図を頭に浮べていて明らかな道は、婚姻によって他家からしかるべき財力を導入するという方法がある。三伴家うちのやりとりなら、それは望めないが、得々斎も三河奥殿の大名から、恭又斎も豪商隅倉から、というなら、婿嫁の違いこそあれ、文吉にはいまこの家を救うに足るべき資力を持つ家の娘を娶《めあわ》したいと考えるのは、当然猶子として行きつくべき考えであったといえようか。

昔、猶子との婚礼のあと、恭又斎持参の長持の中身が披露され、拙々斎《せっせっさい》にところ狭しと並べられたさまざまの名品珍品を、猶子はいまも決して忘れてはいない。得々斎は婿の荷を一つ一つ手に取って眺めながら、

「お、これは東高麗《こうらい》。小堀遠州の書付けじゃ」

と驚き、

「これは茶飯釜か。提灯釜、瓢《ひさご》釜、広口釜、ようこれだけ集めはりましたな」

と眺めるうち、その中の平蜘蛛《ひらぐも》釜を指して、

「みなここへ来てよう見とおきやす。これがあの、松永弾正が信貴山で織田信長に敗れ、切腹するとき、この釜を信長の手に渡しとうない、いうて打ち毀《こわ》してしまわはったて、有名な話の釜え。何ややっぱり人を魅《ひ》き込むような力、ありますなあ。一きわええ形やなあ」

といかにも楽しげに鑑賞していた姿を思い出す。

また道具類の中には珍しい南蛮渡りやギヤマンのものが多く、得々斎はそれを、

「変った道具組が出来そうやなあ。皆をあっといわせる趣向になるわ」

と喜んでおり、このときから倉の棚はいっぱいになって、

「泥棒除けに、倉の中へ蛇飼うとかんならんな」

とまでいうようになったのを、猫子ははっきりと覚えている。

その倉がいまのように、中身のないただの入れ物になってしもうたのは、一体いつ頃からやったかいな、と思い出そうとして猫子は強く首を振り、過ぎたことを悔んでも仕方ないと打消した。いまはただ前向いて遮二無二進む他はなく、文吉とも話し合いの上、猫子が伝手《つて》を頼って嫁さがしを頼むようになったのは、明治も二十三年が明けた辺りではなかったかと思われる。

京の町には仲人を半ばなりわいとする人たちがいて、年頃の息子娘の消息には詳しいが、茶家の名流ともなれば、候補者選びは針の穴くぐるよりもむずかしいとそのひとたちはいう。西陣不況はますます深刻だし、米の値は高くなるばかり、こんな時世ではよほど名家の娘でものどかに茶の稽古をさせている家は珍しいし、よしんばあったとしても嫁いでのちのその身の役割を考えると、大ていの娘たちは尻込みしてしまう。それに、猫子がぐるりを見渡してみても、三伴家以外の茶に関わりのある家、例えば十職の家系、老分業躰《ろうぶんぎょうてい》の身内、出入りの道具屋関係などでは、茶家への理解はあってもあまりに内部を知られ過ぎ、万一もらいに行っても断られるは必定、という予測が成り立つ。

高望みしてたら、嫁さんいいひんようになってしまう、という焦りと、うちは腐って

も鯛や、と胸を張る気持とが交互にあり、肝腎の本人は未だ、去年市中にあらわれた乗合馬車とやらに興味を示し、暇さえあれば見物に行っているそのかたわらで、猶子だけが先を急ぐ思いに駆られている。そのうち、もと四条で芝居茶屋を開いていた世話好きのお篠さんが持って来た二件の話に猶子は心を惹《ひ》かれ、文吉ともどもとっくりとその説明を聞いた。

一件は、仏光寺の甲冑《かっちゅう》作りの家で、当主で八代を数える旧家といわれ、娘二人は小さい頃からしっかりと稽古事をさせてあるのだという。武家ではないが、甲冑作りは武士から大切に扱われて来ただけに、この家のひとたちは誇高く、行儀正しく、そして妹なら嫁に出してもよいといっているそうであった。

お篠さんは一膝すすめて、

「それがまあ、宗匠さん、めったとお目にかかれんようなええ娘さんどしてな。お年は十六どすけど、気立てのよろしいこと、かしこいこと、ほしてま、何よりかいらしかいらしご器量どすねやわ。お嫁さんもらわはるなら年いかんうちもらわはって、好きなように躾《しつ》けしやはるのがいちばんどっせ」

となかなかの肩の入れようで、そしてもう一件は、

「こっちゃは神戸の中山の手にお住まいの、北益子さんちゅうお方どす。北家はもと摂津三田のお大名、七鬼家のご家老さんどして、ご親戚には男爵さん子爵さんやら、ご身

分ある方が多うございますな。ひらけたお家どしてな。益子さんは関西女学院をご卒業やそうどす。お年は宗匠より一つお上どして、しっかりしたお方やと聞いてます」と伝えたが、お篠さん直接の知人ではないだけに、前者ほど熱のこもった口ぶりではなかった。

が、猶子は北益子のほうに強く心を動かされ、お篠さんを帰したあと、文吉の意向を問うと、やはりかいらしかいらしと勧めた甲冑屋のほうがよいという。猶子は文吉に心得を説いて、伴家は京でも指折りの旧家故に、ま、甲冑職人でも不相応ではないが、旧大名と関わりの深い北家のほうがずっとつろくすること、またさきゆき家元を助け、奥を束ねてゆかねばならぬとすれば、十九の文吉に十六の嫁では心もとなく、二十の嫁こそ似つかわしいこと、そしてさらに重要な条件は、茶道拡張の上で考えれば、土地柄の異る家との縁組が有利であるに違いないことを述べた。

釣書《つりがき》を仔細に見ると、北家はもと三万六千石大名の摂津三田藩主で現在子爵の七鬼家、及び綾部藩家老で現在男爵の別家と密接な関係にあり、他にももと舞鶴藩主の牧田子爵や海軍中将の斎藤勲、伊佐常郎など、有力な親族を多く持ち、父浩は維新後家老職を離れて貿易業を営み、益子はその一男三女の長女、とある。一家は職業柄、進歩的な家風で、益子には高等教育を受けさせているが、日本伝来の文化にも深い理解があり、とくに茶道については家族挙げてたしなみがあるのだという。

文吉は、益子が関西女学院を出ていることを難点として、

「学のあるのは頭《ず》が高うてかなんさかい、嫌や」

としきりに尻込みするのを、猶子は強引に捻《ね》じ伏せたかたちで、ともかく見合いという段取りまで漕《こ》ぎつけた。

場所は四条西石垣《さいせき》の鰻屋《うなぎ》「神田川」で、ここは京で唯一軒、江戸前の鰻を食べさせるが、客が揃ってから鰻を裂くので、待つ間が長く、ゆっくりと話が出来る。西石垣は鴨川に面し座敷からの眺めもよければ河原へ下りて一とき遊ぶこともでき、重要な談合にはよく使われる恰好の場所であった。見合いの段階に至れば大ていい話はまとまる手はずになっており、節分過ぎのその日、上機嫌の猶子に憂鬱《ゆううつ》そうな文吉、それに仲が付添い、人力車列《つら》ねて出かけるのを、由良子は粉雪の舞う門口まで出て見送った。

文吉の縁談が茶の間の話題に上るようになると、十五の由良子も急に大人に見立てられ、相談相手の一人として、

「なあ由良子、あんたからも文吉に北さんのほうを勧めたってな」

と猶子から折入って頼まれ、そう聞くと文吉は、

「母さまはこんなときだけ由良子を味方にひき入れようとしはって」

と不機嫌を隠そうともせぬ。

由良子は兄の身を思う故に、ひたすら心やさしい嫁さまを、と願うだけだが、その日

の夕刻、再び人力車を横付けにして戻った三人はむっつりと黙り込み、文吉はすぐ二階に上って十徳を脱ぎ捨てたと思うと、首に白絹のマフラーを巻き、口もきかずに夕闇の表へ出て行ってしまった。

猶子も仲も何もいわず、由良子のほうから差出た口をきくのは憚られ、そのままいつものように茶の間の寝床に体を横たえてからどれくらい経った頃だったろうか。隣の剣の間から聞えてくる激しい口論の声に由良子は目覚め、思わず身を起して聞耳を立てた。

「母さま、ええ加減で権勢ふるうの、もう止めとおくれやす。僕はいままで、何でも母さまの命令どおりにして来ましたけど、この上まだ、あんな不器量な大女を僕の嫁さんにせいといわはるのどすか。五尺一寸の僕に、六尺の女をもらえと勧めはるのどすか。蚤《のみ》の夫婦になって世間の笑いものになるのが、母さまは嬉しおすのどすか」

「文吉落着きおし。あの娘さんは六尺もあらしまへんがな。高島田結うてはったさかい、そう見えただけえ。もしもちょっとだけお前より背が高うても、うちの血筋考えたら体格のええひとのほうが先々よろし。

不器量不器量おいいるけど、あれやったら並みの器量というもんどす。器量好みで女房もろたら、女はすぐ老《ふ》けるもんやさかい、必ず男は倦《あ》いてきます。美人とはいえへん娘さんやけど、あれで上等え」

「ほな母さま、一言もものもいわずつんと澄ましてたの、あれ何どす。女学校鼻にかけて僕らを見くだしてたのやおへんのか」

「文吉は何にも知らへんのやな。お見合いちゅうもんは女にとってこわいことどす。料理なんて一つものど通らしまへん。あんな席でべらべらしゃべらはるような娘さんやったら、こっちでごめんどすわ」

「とにかく僕はお断りどす。この上もう母さまの犠牲になりとうない。嫁さんぐらい、僕の好きなようにさせとおくれやす」

「文吉、何え、そのいいかたは。お前が何で私の犠牲どす。いうとおみ、はっきりいうとおみ」

「そうやおへんか。父さまが何でこの家を出やはったんか、それは母さまがいちばんよう知っておいやすのどすやろ。それを僕の口からいわさはるのどすか」

「何やお前、おかしなことおいいるな。父さまが隠居しやはったんは私が悪いせいやいわはるのどすか。え？ 私のせいどすのかいな」

「ほなら母さま、父さまは隅倉の跡目を何で舜二郎に継がせんと、女の由良子になさいました？ それは誰にもいえへんことどすやろ」

「文吉、お前は何ちゅうことを」

と猶子が怒りのため悲鳴に近い声を挙げたとき、

「それまでにしとくれやしとくれやす」

と強く止め立てしたのは仲の声であった。

文吉は口を噤《つぐ》み、しばらくののち、

「女が年上なんは母さま、ご自分で懲りておいでのはずやおへんか。金持ちから嫁婿もらうのももう父さま限りにしやはったらどうどす」

といい捨てると襖《ふすま》を開けて廊下に出、激している気持そのままに足音高く二階へ上って行った。

聞いてはいけないことをまたもや襖越しに聞いてしまった驚きで由良子の体は硬直し、猶子と仲がなお頭を抱えて坐っているであろう隣の部屋のほうに窺うともなく目をやった。文吉の縁談について由良子は何も判らないが、やはり疑っていたとおり、舜二郎に隅倉を継がせなかったのには何やらわけがあるように思われ、恭又斎の突然の隠居には、子供には計り知れぬ複雑な理由がひそんでいると考えられる。襖の向うでは、猶子と仲がまだひそひそと話し合っており、時折猶子の吐く大きな溜息の気配があり、それを慰めているらしい仲の低い声も洩れてくる。

由良子はふっと、仲は業躰の身分でありながら、少し家のことに立入り過ぎるのではないかしらん、という思いが過《よぎ》ったが、すぐにまた、恭又斎留守のこの家で、もし仲がいなかったら、と思うと、感謝こそすれ疎《うと》むなどとんでもないこと、と自分にいい聞かせるのであった。

それにしても、文吉の縁談はどうなる、と一人胸を戦《おのの》かせている由良子のかたわらで、母子とはふしぎなもの、昨夜あれだけ激烈な諍《いさか》いをしながら、朝になるとまたもとどおり卓袱台《ちゃぶだい》を囲んで一緒に粥《かゆ》を啜《すす》っている。ただ結婚については頑として文吉は猶子の勧奨を拒んでいるらしく、由良子は再三、

「文吉の嫁さんはあんたや舜二郎の兄嫁になるひとやさかいな。二人で北さんの娘さんのこと、文吉に勧めたってえな。頼むえ」

と猶子から折入っていわれ、舜二郎にそれを伝えると、

「そんなん、放っといたほうがよろしがな。兄さまかて家元夫人にはかいらし娘がふさわしいと考えてるに決まってる。人との付合いもあるさかい」

と顧みず、それというのも、次男坊の気楽さで舜二郎は毎日ほとんど出歩いており、朝稽古の他は家の中で姿を見かけたことがないほどであった。どこへ出かけるのか、何をして遊んでいるのか家族の誰も知らず、ときどき舜二郎が口笛を吹きながら戻るのを見て由良子は、「ご機嫌さんやなあ」と冷やかしたこともある。同じようにこの家に生れても、兄は家元の桎梏《しっこく》に苦しみ、弟はきびしい監視から外され、気ままな行動も見逃しにされている。めんどうな話は許して欲し、と身をかわす舜二郎の気持も判らないではないだけに、由良子は何もいえなかった。

猫子は文吉を引き据え、二階で、隠居所で、或は有色軒《ゆうしきけん》で、松隠席《しょういんせき》で膝詰めの懇願をしている様子だったが、そのあと文吉は、必ず懐手の仏頂面でプイと外へ出てゆき、夜半まで戻らないことが多くなっている。猫子のほうもお篠さんからたびたび返事を迫られているらしく、日々苛立《いらだ》っては些細《ささい》なことで鹿を叱りつけたりしているのであった。こんなとき、父さまがいてくれはったら、の思いはふと由良子でさえ胸を過《よぎ》るが、日を経るに従って恭又斎の名はこの家うちで薄れつつあり、家元の結婚という大切な問題も、猫子がひとり、歯をくいしばって処理しようと身構えているのが窺える。

見合いのあと、もう一ヶ月以上も経った三月半ばのある夜、由良子は呼ばれて御祖堂《おんそどう》に入ると、そこには既に兄と弟が座し、隅には仲も控えている。ここしばらく、思い悩んだあとがありありと判るほど目の凹んだ猫子は、利休像に灯りを上げて礼拝のあと、子供一人一人の名を呼び、見廻してから、

「今晩はな、もう何もかも包み隠さんようにお前たちに聞いてもらお、思いましてな。こうして御祖さまの前に集ってもらいました」

と切出した。子供の前で弱音など吐いたことのないこのひとが、包み隠さず話そうというのはよくよくのこと、と由良子は居ずまいを正し、暗い御祖堂のなかで改めて猫子の顔をみつめた。

「お前たちは、父さまご隠居のだいぶん前あたりから、この家がもう傾いてること、察

してたと思います。それについては家中皆、それなりに骨折って来ましたけど、ご時世に勝つことは出来なんだ。申しわけないと心の内で手を合わせつつ、御祖さま以来の家の宝もんを一つ売り二つ売り、その場をしのいで来ましたんやけど、もう見てのとおり、家の中には何にも無うなってしもた。

このままやったら、この後之伴家は身代限《しんだいかぎ》りして夜逃げするより他、おへんのどす。家は競売にかけられ、私らは世間に顔向け出来ひんようになって、どこぞへ都落ちせんなりません。私はな、家の破産する夢、いく晩もいく晩も見ましたえ。おそろし夢やった。うなされ続けやった。しかしま、それも、普通の家なら巡り合わせと思うてあきらめることも出来まひょけど、うちは十三代も続いて来た、利休さんをご先祖に頂く由緒正しい茶家どす。

しかもやな、前家《まえけ》、武者家は揺るぎもせず、御祖さまの折目節目の忌日には、こんなご時世でもそれなりに催し事をなさってはる。それやのにこの後之伴家だけが衰退し、しかも文吉の代でむざむざと潰《つぶ》れてしまうかも知れへんとこへ来てる。

こんなことが、ありますやろか。この兜門のうちらに生れた人間が、身内に利休さんの血が流れてる人間が、指くわえて家の倒れるの、見てられますやろか。もしそんな羽目になるんやったら、文吉は御祖さまにどういうてお詫びしたらよろしのか、その文吉を生んだ私が、何というてお許し乞うたらええのか」

猶子はそこで言葉を切り、須弥座《しゅみざ》の奥の黒ずんだ利休像に目を向けた。

二帖敷の狭い御祖堂の中に、等身大の利休像はじっとこちらを見おろしており、その前の一本の灯りの、ときにまたたき、ときに丸く滲むなかに照らし出されたその顔は、心なしか深い憂いをたたえているかのように眺められる。猶子は言葉を継いで、

「いま、この家を救う道はたったひとつだけ、ここにおす。先ごろから私の勧めてる北家との縁組どす。これは文吉ひとりだけの話やのうて、家全体に関わってくることやさかい、よう聞いて欲しのやけど、仮りにも家元の婚礼ちゅうたら、粗略な真似はできしまへん。後之伴家にふさわしだけの格式は踏まんならん。そやけど今の家にはそれだけの資力はもう尽きてしもてる。かというて、このまま文吉に嫁さんもらわんとおれば、みすみす世間に生恥さらさんならんことになる。三人とも、いま家のさしかかってる危い事情、判るか」

猶子は息を継いで、

「そこでな、私の考えたこと」

とかたわらの桐箱を取上げ、蓋《ふた》を払って中の軸物を出し、紐をほどいて畳の上に拡げて見せた。

「母さま、それは」

と声を挙げたのは文吉で、舜二郎も驚きを隠せず、

「うちのいちばん大事なもんやおへんか」

と目を見張るのへ、

「そうどす。これは三代秀旦さまがこの明日庵《みようにちあん》を建てて、前家から隠居遊ばされたとき、命名の記念として書かれたもんどす。後之伴家の看板どす。これあるために、明日庵は前家の不了庵《ぶりようあん》とともに、世のひとびとから茶家の名流として大事に扱われて来ました。

それを、私はいま手離して、文吉の婚礼の費用に充《あ》てたいと思います。結納も式も、人に後指差されんよう、家元としてきちんとやりたい思います。それにはな、相手が甲冑屋さんではあきまへんのや。北家のご親族をそっくり家へ繋《つな》いで欲しおすのや。いうたらな、これは我家として最後の賭けどす。呼び水というたらええかも知れまへん。このお軸を人手に渡すかわり、北家を通じて家の再興が出来たら、こんな有難いことはおへんのどす。ゆんべ私は、秀旦さまがこれを書かはってからの歳月を勘定してみました。ちょうど二百四十五年どした。二百四十五年間、この家の光明として、一族を守り続けて来てくれはったお品どすけど、私のこの決意を、秀旦さまも必ずやお許しくださると思います。

家が潰れてしもたらそれまでどすけど、お軸はまた買い戻せまっさかいに」

と猶子が言葉を切ると、重い沈黙が流れ、そのあといちばん先に涙をすり上げたのは舜二郎であった。

「母さま、僕はこれから一所懸命、稽古に励みまっさかい、兄さま助けてきっと家のことを考えますさかい」

と拳《こぶし》で目を拭《ぬぐ》いながら膝を進めるかたわらで、由良子は何も言葉に出来ず、黙ったまま深々と両手をついた。

目の前には、「明日」と書かれた秀旦の筆蹟があり、時代を経て黄ばんだその紙と、墨のいろにじっと目をあてていると、これを人手に渡さなければならぬこの家の苦境がひしひしと伝わってくる。文吉本人も低く頭を垂れ、頤《あご》を衿《えり》に埋めていたが、やがてこれも手をついて、

「母さま、よう判りました。北家との縁談をどうぞ進めておくれやす」

との答えであった。

猶子はそれに対して深くうなずき、そして、

「それでこそ、後之伴家の十三代どす。これからも自分の気持よりも家のことを先に考えとおくれやす、なあ」

とやさしくさとし、手を伸ばして秀旦の軸を巻き上げるのだった。

利休像の前の灯《とも》しももう尽きようとして一きわ明るくなり、その光りに浮き上った猶子の横顔を見て、由良子は心のうちで、猶子に対する畏敬の思いがいっそう強くなった

のを感じた。ずっとのちになって、物事を斜めに見るようになった舜二郎は、

「なあ姉さま、あのときは兄さまはじめ皆、母さまの上手な罠《わな》に陥れられたんやったな。母さま役者が一枚上やさかい、ちゃんと計算してはったんや」

と笑ったが、由良子はそうとは思わなかった。

このときの猶子の切々たる言葉は決して芝居でなく、子供達を庇《かば》って巣を守る親鳥の悲痛な訴えだったと思うし、また、この兜門うちに生れた人間、身内に利休さんの血が流れている人間、といわれたとき自分は該当しないのに、ふしぎとその引けめがなく、舜二郎同様、文吉の力になりたいと一途に念じたのも、猶子の言葉の底に、分けへだてのない広い心あってこそ、と思うのであった。

明治二十三年十一月吉日、後之伴家十三代家元、当年十九歳の円諒斎秀室と、もと摂津三田藩家老北浩の長女、当年二十歳の益子との婚礼は、夕刻から有色軒で行われた。

仲人は、大和絵の画家菊地宝月に頼み、相方の両親、兄妹のみの簡素な式だったが、それでも有色軒は点前座《てまえざ》一帖を含めて五帖敷しかないため、居並ぶ人々は膝を詰め合わせ、肩も触れ合わんばかりとなった。益子の親族は、両親と弟妹三人揃っているのに較べ、こちらは猶子一人の片親で、それについては予《あらかじ》め、

「先代は、茶道の普及拡張のため、暫く全国行脚の旅に登っておりますれば、甚だご無

礼ながら式に出席は叶いませず」
と先方へ了解を求めてあった。
実は、婚礼の日取りが決まるとすぐ、猶子は恭又斎《きょうゆうさい》宛てに長い書状を認《したた》め、当日は
万障排し、円諒斎父親の座にお坐り遊ばされ度《たく》、と懇請したのだけれど、それについて
は返書無く、ほど経て妙寿庵からの使いの者が木綿唐草の油単《ゆたん》で包んだ大きな荷を背負
ってやって来、
「ご隠居さまからのお祝いでございます」
との口上を述べて、それを置いて行った。
開けてみると、まず酒井抱一《ほういっ》の鶴讃図の軸物、鴛鴦《えんおう》の香合、宗哲の朱塗引盃、そして
振袖一式がいずれも丁寧に包まれてある。荷を解いていた猶子と文吉は、一品一品声を
挙げて感じ、
「よう手に入ったもんやなあ」
「まだ隅倉にはええもん残ってたんやな」
「いや、添状はないけど、これ皆、紀州の伯母さまのお家のと違うやろか」
「いやいや、そやのうて、父さまのお持物を手離してお目出度い品と取換えはったんや
思うえ」
などいい交わし、最後に振袖を拡げて、

「これは由良子に女蝶《めちょう》男蝶のお役勤めさせようというお指図のおつもりやなあ」

と猶子は判じ取り、すぐ由良子を呼んでその由を伝えた。

婚礼も、嫁を迎える側の準備はまことに大へんなもので、それが茶家ならとくに、どんなに手を足しても足しても、もはやこれでよし、という限りはない。畳建具を新しくするぐらいは易しいこと、何より調達の難しいのは飾り物、道具類で、一旦手離した品を買戻そうとすると倍以上の値になっていることが多く、伴家伝来の宝物類は空しくあきらめなければならなかった。本来なら、掛物は墨蹟、花生けは由緒ある古銅くらいのもので、祝いの席に重みを加えたいのだけれど、それはいま高望みであるだけに、猶子の胸には口に出来ぬ焦りがある。

こういう矢先、妙寿庵からの贈り物は何より有難く、抱一とは寄付《よりつ》き掛けでもよいようなものの、ものは鶴の画ではあり、恭又斎の解釈では婚礼故、これを本席に使っても差支えあるまいとしたのではないかと猶子は考え、その意志に従うことに決めた。振袖は、こちらの姉弟で当日女蝶男蝶を勤めねばならぬことになったため、由良子は黒い紋服を持っていてもそれは木綿ものだけに、支払いのあてなく呉服屋に強談《こわ》判して新調するか、それとも木綿着のままで席に出すか、思案していたところだったので、これもこの際、重宝な品であった。

由良子はそのたとうを手渡されたとき、猶子から、

「昔のもんやけど、ええ品やわ。紀州の伯母さまのもんかも知れへんな」

といわれたが、瞬間ふと、妙寿庵の母さまのお心づかいではないかと思った。

開いてみると、縮緬《ちりめん》の黒地に辻模様の品のよい友禅で、緋《ひ》の長襦袢《じゅばん》も重ねられてある。西陣の丸帯も添えてあり、帯のあいだには桃いろ総絞りの帯揚げと、白い丸ぐけの帯締めも小風呂敷に包んで挟んであった。手にとってみると、誰かがこれにいく度か手を通したあと、長いあいだ簞笥《たんす》の底に眠っていたと思われる様子がありありと見られ、樟《しょう》脳《のう》の匂い、くっきりついた畳み皺《じわ》、袖口と裾の袘綿《ふきわた》の歪《ゆが》み、脇の縫目の割れ目など、いかにも生々しく人の匂いがする。その人の匂いは、決して他人でなく、自分と血を分けた母親のものでないかと考えると、それはほとんど間違いなく正しい予感だと由良子には思えてくる。

もし仮にそうでなくても、こんなに美しい振袖を自分に贈ってくれた持主と父親に対し、由良子は涙溢れる思いで礼を述べたかった。友禅は、たしか由良子四歳の正月に祖母が作ってくれたが、そんな遠い日のことを何故覚えているかといえば、この年はコレラの流行で祇園祭が七月から十一月になり、また師走にはドイツの皇孫殿下に見せるため、山鉾《やまぼこ》がすべて御所へ集合したのを見物に行った記憶に重なっている。つまり祇園祭は例年浴衣姿で出掛けるものを、この年は振袖を着て帯を結び、誰かに連れられ、二度も山鉾を仰いだことが脳裏に灼《や》きついている故で、逆にいえば、それだけ華やかな友禅に対する由良子の思いには深いものがあった。

四つ身のその着物は、その後いく度か手を通したあと、綿を入れておでんちになり、さらにはよいとこどりでお詣りの米袋になって、長いあいだ御用を勤めたが、やがて命尽きて終《おわり》は朽ちた糸屑になってしまった。その後、由良子は銘仙以上のものは作ってもらえず、それを格別不服にも思わず過して来たが、今こうして着古した品とはいえ優美な染物の振袖を手にすると、やはりたとえようもなく嬉しかった。

祖母が生きていれば、裄《ゆき》は、丈は、身幅は、とこまごま世話を焼いてくれるのだけれど、そういうことが苦手の猶子は、

「寸法は鹿に見てもらいおし」

と手渡したきりで、鹿はまた縫物は鬼門どす、と逃げてしまう。

手仕事の好きな由良子は、もとより自分の裁量が便利で、そっと袖に手を通してみると、裄も丈も由良子よりはやや小さめながら、このままで我慢できなくはなかった。同時に、この着物は紀州の伯母のものではなく、正しく生みの母が着たものとの確信が深まり、由良子は初めて、母なるひとにめぐり会えたような喜びで、胸が高鳴ってくる。由良子が二度ばかり会ったことのある伯母は体格のよいひとで、少なくとも由良子よりは大分大きいと思えるだけに、生みの母は寸法から推してやや小柄の、やさしい体つきのひとだとの想像が出来るのであった。

　由良子はその着物を衣桁《いこう》にかけ、朝に夕に眺めながら、胸のうちで何かが大きくふくらんでくるのを感じた。それはいままで、妙寿庵のだいこくさん、という猶子の一言だけの知識しかなかった生みの母が、少しずつ露《あら》わになってくることへの期待であって、いつかはきっと母子の名乗りも出来ると思うと、それまでの月日、どんな辛《つら》いことがあっても耐えられそうに思われるのであった。

　婚礼の当日、由良子は舜二郎とともに盃事の作法を仲から教わり、着つけも済ませて拙々斎で家中の者とともに花嫁の到着を待った。

　神戸の北家からでは遠すぎるので、花嫁は仲人の口利きで伴家から三丁ほど先の画家の家を借り、そこで支度を済ませてからあらわれる手はずになっている。やがて時刻になり、小川通りの辻で人力車から下りた花嫁は、高張《たかはり》提灯の明りに照らされながら歩いて来て兜門をくぐり、まずこの家の先祖に礼拝すべく、仲人にいざなわれ、しずしずと畳廊下をすすみ、さて御祖堂に入ろうとして、その鴨居《かもい》で見事に頭を打ってしまった。

　思わずよろめき、裾を踏んで尻餅をついてしまった花嫁に仲人は駈け寄り、

「どうもおへなんだか」

と、ひしゃげた前髪と、歪んだあげ帽子《ぼし》をなおし、介添えしながら礼拝をすませたが、その帰り、またもや同じ鴨居に今度は高島田の髷《まげ》のほうを打ちつけてしまった。

「ああああ、まあまあ」

と仲人はあわて、もとの御祖堂へ戻って再び髷をときつけ、元結《もっとい》も正してから、

「しっかりおかがみやす。よろしか」

といい聞かせ、赧《あか》くなった花嫁はうなずいたものの、式場の有色軒へ入ろうとしてここでもまた鴨居に元結の先端がかすり、廻りの者たちは一しきりざわめいた。

後之伴家は古い建物故、全体に鴨居が低く、体格のよい男たちは各部屋に入るたび、会釈するように頭を下げる習わしがしぜんに身についているが、高島田のせいはあっても、三度も続けて頭を打つ女は珍しいだけに、この日から益子はもう、大きい嫁さまという印象を内外に与えてしまったようであった。

文吉円諒斎は茶の無地熨斗目《のしめ》に、黒色無文の十徳を羽織って張付の壁床の前に坐り、益子はその隣に五つ紋の黒裾模様、猶子も同じく黒紋付に前帯裾引き姿で並び、舜二郎と由良子はうやうやしくその前に盃を運んだ。由良子が窺うところ、兄嫁となるひとは極度に緊張しているためか、寄目になっているかに見え、終始口をひらかず、三三九度の盃を持つ手も燭台の灯りに映った指先がかすかにふるえているように思われた。

式のあと、拙々斎で披露宴があり、謡《うたい》や唄も流れて賑《にぎ》わい、この家にもようやく春の訪れた感があった。親族固めの千鳥の盃を廻す役目の由良子は、このとき、後の夫となる北盛行にも初めて会い、酌をしたのだけれど、兄嫁同様こちらも気を張っていたためか、のちに思い返してもほとんど記憶に残ってはいなかった。

翌日は猶子が嫁を連れての挨拶廻り、また夫婦での神戸への里帰りなど、一週間は家中の者、皆、夢のように過ぎてしまい、ようやく落着いてみると、この家にも新たに、強い味方が一人加わったという頼もしい充実感があった。何をするのにも頭数が増えたのはうれしく、それも若い嫁ならいっとき家の内が明るくなったように、由良子には思えた。

これを機に、猶子は二階を若夫婦に明け渡し、自分は隠居所へ移ったが、上機嫌で過したのは、婚礼のあとの旬日ほどではなかったろうか。由良子は、猶子と自分とが生《な》さぬ仲だと知りつつ、それには触れずなお母娘として過していれば、猶子の心の動きが誰よりも、よく見えるように思われ、最初にその胸のうちの落胆と失望を知ったのは、嫁の荷を点検したときであった。

拙々斎に並べた道具類は、簞笥長持、鏡台三つ曳出し、夜具座蒲団、裁板《たちいた》針箱下駄箱、と世間の嫁入道具は欠けるところなく揃っており、由良子は、朱塗りの手鏡や、螺鈿《らでん》の手文庫など見ると、さわりたくなって寄ってゆき、鹿と二人で、

「きれいやなあ。皆上等のもんばっかり」

と感嘆しているところへ入って来た猶子は、

「これだけか？」

とそこに居合わせた不秀に小さな声で、

「お茶道具を入れた長持は？」

と聞き、不秀が首を振ると、とたんに眉根が寄り、

「簞笥長持、皆神戸のできあいやな」

といい捨てて部屋を出て行った。

猶子が昔、つねづね子供たちに聞かせた「父さまの婿入道具の凄《すご》さ」を知っている由良子は、これだけの荷では母さま不足なんやな、と判ったが、十五の女の子の目には茶道具はともかく、新品ばかりの嫁入道具は眩《まぶ》しいほど美しくまた羨《うらや》ましく見えた。

ほど経てのち、毎朝飲む茶は業躰《ぎょうてい》が点《た》て出しで運んでくるのを、猶子は、

「いっぺん、益子のお茶頂いてみまひょ」

と提案し、家族一同、客になって坐り、益子が点て、由良子が半東《はんとう》を勤めることになった。

婚礼のとき、益子がほとんど口をきかないのを、由良子は緊張のためとばかり思っていたが、その後も病的なほど、自分からは何もしゃべらず、人から聞かれたときには短い単語で答えるだけであった。

舜二郎はさっそく由良子に感想を述べて、

「姉さまきつうおとなしいなあ。やっぱりちょっと恐いわ。体も大きいし」

といい、由良子はそれに対し、

「まだ馴れておいやさへんさかい、控えめにしてはるとこや思うえ」

と宥《なだ》めたが、舜二郎はなお、

「ものいわはらへんひとは、心のうちで何考えてはるか判らへんしな。あの白目でじっとにらまれるの、気味わるいわ」

と、自分からそばへ寄ろうとはしないのであった。

動作も緩慢で、文吉から、

「ちょっとおいなはい」

と呼ばれても、

「はい」

と答え、一呼吸おいてからやおら立って行く。

しかし性質は極めて素直で、誰の言葉にも従い、仮にも逆らうふうなど全く見えなかった。いまも、姑《しゅうとめ》からお点前《てまえ》を、と乞われれば帛紗《ふくさ》をつけ、水指《みずさし》を持って茶道口に坐り、赤い手絡《てがら》の丸髷の頭を深々と下げて一礼した。水指、茶碗、棗《なつめ》を運び、建水《けんすい》柄杓《ひしゃく》を持って点前座に坐り、居ずまいを正すまでは順を踏んでいたが、上客の座の姑、次客の夫、続いて舜二郎といずれもこの道専門の強者の視線に射すくめられ、そのあとは悉《ことごと》く手順を間違え、いく度やっても棗の上に茶杓が載らず、湯はぽとぽとこぼし、挙句には点てた茶碗を客に差出す向きを逆さにしてしまった。

益子が真赧《まっか》に上気し、ふるえる手で帛紗捌《さば》きをしているのを、うち同士のことと文吉は、こちら側から、

「上らんでもええがな。落着きおし」

としきりに声をかけていたが、猶子は終始無言で、点てた茶の加減に対しても一言の褒め言葉もなかった。

全員飲み終り、益子が棗と茶杓をひいて敷居際で最後の総礼をすると、猶子は、

「益子、ちょっと来ておみ」

とさきに立って、昼でも暗い松隠席へと誘って行った。

そこでどんな場面が展開されたか、由良子は知るよしもないが、たぶん、茶家へ嫁入りするのに、あのざまは何え、という詰問からはじまり、きつい叱責が降りかかって、挙句には明日からは命がけで稽古おしやす、と油絞られたにちがいなく、出て来た益子の目は真赧であった。冷静になってみれば、益子は神戸で、真台子《しんのだいす》までを極めており、花月なども一応こころみていたが、仲はそれについて、

「どなたに教わらはったんか知りまへんけど、悪い癖がついてるようにお見受けしまっさかい、これからは家元夫人として恥かしないよう、直さしてもらいます」

といい、さっそく翌朝から稽古に入ってびしびしと指摘しているようであった。

ときにはその場に猶子も加わり、炭点前の折など、火箸《ひばし》を取上げて益子の手の甲を叩

き、激しく叱りつけているのを、由良子は見たこともある。茶道の習練というのは、単なる嗜《たしな》みとして、半ばひまつぶしの稽古に通ってくるひとにはとくに厳しい態度で臨まなくてもよいが、将来この道で身を立てようと志す者には峻烈《しゅんれつ》極まる訓練が課せられ、げんにそれを覚悟のはずの業躰でさえ耐え得られず、ついに志を折って止めていったいく人かを、由良子は覚えている。

火箸で手を叩かれるくらいは朝飯前のこと、もっと底意地の悪い教えかたは、永久によし、とはいわず、十ぺん二十ぺんはおろか、百ぺん二百ぺんと同じ動作を繰返させられる試しもあり、唇を噛み、涙をにじませながらこういう修行を経てのち、やっと道を会得するのだと仲などはいう。事実この家で、炎天の灰作りや、極寒のなかの庭掃除、たゆみない道具類の手入れなど、黙々と続けている姿を由良子は見て育っているだけに、きびしい朝稽古を見てもいまさら驚くことはないが、それが益子であれば、いつも少しばかり胸の奥が痛むような気がする。

べつに明白な理由はないけれど、二代続いて婿養子のこの家にやっと迎えた嫁、と猶子のいう言葉をよく考えてみれば、他人の娘が入ったのは久しぶり、ということになり、それはとりもなおさず、いまの由良子の境遇に酷似していると思う。恭又斎あれば由良子はこの家の娘として通るものの、父親去ったいま血縁は薄くなり、それだけに他人ばかりの真っ只中へ嫁入って来た益子の心細さはよく判るように思えるのであった。

それに、婚礼の際、三度も鴨居で頭を打ったという話は世間に拡がり、家のうちでも猶子はときどき、からかい半分で、

「益子、そこ退《の》いてや。あんたが前に坐ると暗がりになる」

などといい、明るく多弁な嫁なら、それを巧みにかわしたり茶化したりできるのに、益子は悲しそうな顔をして立上り、猶子は拍子抜けして狐につままれたような顔になってしまう。

自分とは似たような境遇でも、まだ馴れぬ姉さまはお気の毒、という思いはいつも由良子につきまとい、その上、日も浅いうちから仲が引き据えてのきつい稽古なら、怯《おび》えるのは当然と思われ、何かやさしい言葉をかけて慰めてあげたいと考えるのだけれど、それも要らざる差出口、と控えている。一人ひそかに思うのは、あれほど大きな期待をかけていた益子の支度が通りいっぺんのもので、目ぼしい財宝が何もなかったことが、猶子の気持をとげとげしくさせてしまったのでないかと勘ぐればそう思えなくもない。

猶子の仲との話のなかで、由良子が小耳に挟んだ、

「頭道具だけやな、べっ甲と翡翠《ひすい》」

「そんなもん、何のたしにもならしまへん思います」

の会話は、益子の持参した道具の話ではなかったかも知れないけれど、またそうだったかも知れず、いずれにしろ、この家の起死回生をかけた嫁取りが、必ずしも思惑どお

りに実らなかった焦りが、猶子の日常の些細な言動にあらわれているように思えるのであった。

しかし夫婦の仲といえば、廻りの予想に反して、文吉は益子をいたわり、益子はもとより極めて従順で、文吉がいたく案じた女学校卒を鼻にかけるような態度は少しも見えなかった。婚礼のあと、文吉の外出はぴったり止まり、暇さえあれば家の内を見廻り、稽古にいそしみ、書をひもといて、まことに神妙に家元としての日常を送っているかに見えた。が、いまの場合、そういう文吉の過しかたを猶子がはがゆく思っているのはそばにいて判り、ときどき、

「もっと外へ出て。広うご挨拶に廻って」

とか、

「人つかまえなあかんえ。どこへでも顔出して」

と尻を叩き、それは取りようによっては、嫁さんのねきにばっかりくっついてて何え、そのざまは、と叱責しているように聞えなくもない。文吉にすれば、口下手の上に機転も利かない益子を夫として庇《かば》わねばならぬとしっかり自覚しているかに見え、こと益子に関する限り、誰かが仮にもけなす気配でもあれば先廻りしてすぐ助け舟を出そうとするのであった。

見合いのあと、猶子と激しい口争いまでして結婚を拒んだ相手だったのに、いまは年

上もよし、大きいのも構わぬ、女学校卒はむしろ自慢にもなっているのを、猶子はかげで、

「あないにも変るもんかいな」

とくすくす笑い、

「なあ由良子、そない思うやろ」

と同意を求めるが、由良子はむしろ、文吉のそういう変りかたを好ましいと思っている。

家元の宗匠というのは、寝ても覚めても桎梏《しっこく》と孤独に苦しみ、頼む母親と業躰からはつねに叱咤《しった》され、鞭撻《べんたつ》され、督励されるばかり、そのなかにあって心のうちはともかく、おっとりと大きく構えている益子の様子は、文吉にとって唯一の安らぎではなかったろうか。

由良子はしかし、女同士だけに、猶子の苛立ちと益子の立場は、間に立ってよく判り、どうぞ二人が心から打ちとけていたわり合えるように、とひそかに祈らないではいられなかった。が、最初の衝突は、師走も押し詰ったある日のこと、日頃からこんなときにこそ信心忘れたらあかん、という猶子は、暇さえあれば神仏に祈願しており、とくに先祖の墓へは月詣りを欠かさなかったが、今回は年最後の月故に家族揃って聚光院《じゅこういん》へということになり、その朝全員玄関に集合した。

猫子、文吉、舜二郎、由良子に仲が付添いこれだけは揃ったが、益子の姿がまだ見えず、猫子は三和土《たたき》の上で下駄の歯を鳴らしながら待っていたが、

「何しといやすのか、舜二郎行ってみといでやす」

と命じたところ、座敷へ駈け上って行った舜二郎は戻って、

「姉さまは縁側でお歯黒つけといやす。皆揃いましたえ、というてきましたんやけど」

と報告した。

「お歯黒？」

と猫子は聞き返し、ふと眉根を寄せたがそのまましばらく待ち、なお益子があらわれないのにとうとう我慢しきれなくなったのか、

「文吉、男はさきに行っててや。私は益子と由良子をつれて後から行くさかいに」

といい捨てるなり、荒々しく下駄を脱いで上り、拙々斎の畳廊下に坐っている益子に近づいて、

「益子、あんたいつまでそんなことしてますのや」

ときつい声を落した。

益子は婚礼の翌日に眉を剃り落し、同時にお歯黒をつけ始めたが、それは由良子にはひどく珍しいものであった。鉄のくずに濃い茶、酒をまぜた褐色のどろどろした液をかね壺に入れ、それをあたためて竹のお歯黒筆で歯につけるのだけれど、壺を火鉢であた

ためるときの悪臭は、馴れないうちはとうてい耐えられないほどのものであった。

最初に益子がそれをしたとき、家中の者は、

「何え、何え、この臭いのは」

と騒ぎ、猶子も、

「あんたお歯黒つけますのかいな、いまどき殊勝なことどすな」

といいはしたけれど、そのときは格別止めはしなかった。

というのは、猶子も結婚後、しばらくのあいだはお歯黒を用いていたが、明治六年三月三日を期して天皇は断髪、皇后はお歯黒をとりやめ、一般もこれに倣《なら》うことを発表されてからはかね道具一式、倉の奥に蔵《しま》い込んでしまった。もともとこの臭みが嫌でたまらず、有夫の証《あか》しにいたしかたなく歯を染めていただけに、お上のお達しは渡りに舟であったという。

いま猶子は、胸あての布をかけ、手鏡を見ながらお歯黒を使っている益子を見おろしながら、

「お歯黒止めとは私からはいえまへんけどな。あんたのつけ始めは、筆親《ふでおや》頼んでお披露目したわけやないし、このせつそんな臭いもんつけてるとはたが迷惑すること考えたら、どうせないかんか判りますやろ。それに何どす。家中揃うてご先祖さんにお参りに行くちゅう日に、皆を待たせてのんびりお歯黒つけてる。そんな心掛けやったら、ご先祖さ

んが怒りはるかも知れへん。

あんたかて、もうこの家のいまさしかかってる事情、察してますやろ。こんなときこそ、紅《べに》かねどころやのうて、先に立って墓参りするのが嫁の役というもんやおへんか」

と、立ったまま叱り続ける姑《しゅうとめ》の前で、益子は恐れ入ってすぐかね道具を始末するかと思えば少しも手は休めず、口を開けたままお歯黒をつけ続けている。

座敷へ戻った由良子はこの様子を見て、まあ姉さま、何と横着なことを、と感じ、早うお手を止めて母さまにお詫びを、と内心しきりに思った。果して、猶子は声を荒げ、

「益子、これだけいうても改めんとこみると、あんた何どすか。お歯黒つけるのは私へのあてつけどすか。白歯《しらは》が黒歯を羨ましがり、などというひともあるけど、連合《つれあ》いのある者が無い者への見せつけどすねやな」

と激しい言葉を浴びせ、由良子も一瞬目を伏せたほどだったが、それに対し、益子はお歯黒筆を手に持ったまま、うっそりと視線をあげ、姑の顔を見返しただけであった。

しかしその重い瞼《まぶた》の端に、ぽつんと光るものが宿っていたように思い、由良子はそのとき、何故姉さまはすぐ謝らなんだやろ、と思った。善意に考えれば益子は、暮の墓参りなら、剝《は》げかけたお歯黒の口もとで行くのは不作法、塗りたてのつやのある歯で先祖にご挨拶したいと考え、道具を出して来てつけ始めたのだが、何しろ大きい体でふだんから小廻りが利かず、手捌《てさば》きの遅いたちならつい皆を待たせてしまったのだと見てあげ

られなくもない。

気の利く嫁なら、それでもすんまへんすんまへん、といいながら手早く道具を片づけ、

「後からすぐ追いつきまっさかい」

と咄嗟《とっさ》のいいわけも口に出るのだけれど、何事ものっそり、のっそりやさかい、と猫子のいう動作なら、心のうちでは焦ってもそれを巧《うま》く言葉にできるたちではない故に、怨めしそうに姑を見上げるより他なかったのかも知れなかった。

しかし、益子には益子の、人知れぬ意地もあると見えて、こんな争いのあとでも頑としてお歯黒はやめなかった。ただ、階下の廊下などの人目につく場所は控え、二階へひそかに火鉢を持込み、こっそりとつけるのだけれど、何しろ強い悪臭のため階下にいてもすぐ判り、そのたび猫子は顔をしかめ、

「新らし教育を受けてるひとが、いまどきお歯黒とはなあ。女学校てこんなこと教えますのかいな」

と呟き、不機嫌になるのであった。

益子は自分からは何も話さないが、たぶん北家の祖母あたりから、嫁入りした女子が白歯でおったら、旦那さんに嫌われますよ、とよくよく戒められていたのではなかったろうか。

猫子が提案した一家揃っての暮の墓参は、こんなことでとうとう取止めてしまい、そ

れを苦に病んだ猶子は大晦日《おおみそか》の日暮れを待って益子と由良子を従え、聚光院へお詣りした。何故日没後にしたかといえば、大晦日は掛取りが引きも切らず、その応対には不秀がひとり玄関を勤め、宗匠真鏡院ともにご用あってお出かけ故、かんにしとおくれやす、を繰返して撃退しなければならぬため、日中人目につくような外出は出来なかった。

元日だけはよもや借金取りはあらわれまい、と考えていても、ひょっとして年賀客を装ってやって来るひともあるやも知れず、皆部屋にこもってひっそりと年を迎え、後之伴家としてはもうこれ以上の底はあるまいと思われる明治二十四年を迎えた。

第四章　妙寿庵

益子のさと、北家へは、暮の挨拶も省いており、せめて松の内に年賀なりとも、と文吉は焦っているらしく、それらしい意味を匂《にお》わすけれども、猶子《ゆうこ》は聞えぬふりして取り合わぬ。また諍《いさか》いが起きねばよいが、とわきで由良子がはらはらしているうち、四日の朝になって、廻りに人のいないのを見すまし、文吉は卓袱台《ちゃぶだい》の前で、声をひそめ、

「明日でも益子をつれて、神戸へ行てこ思うてますのや。正月礼くらいは勤めておかんと、義理欠いてるいわれまっさかいに」

と話しかけた。

暮に、とうとう最後の女子仕《おなごし》の鹿にも暇を出さざるを得なくなり、この家の台所をすっかり預る役目になってしまった由良子は、はしり元の前でそのやりとりを聞くともな

し、聞いていると、猫子はふいと横を向いて、

「嫁さんとの閨《ねや》のなかの話かいな」

と不機嫌露《あら》わで、文吉はそれを取りなすように、

「真面目な話どすがな。弟や妹たちへのお年玉は何とでもいうて逃げられまっさかい、顔だけでも出しとかんと。益子もこっちゃへ来て初めての正月どすもん」

と説くのへ、猫子は横向いたままで、

「あんたはここの当主やさかい、思うようにしたらよろしがな。しかしやな、文吉。茶道の家元へ娘を嫁入りさせるのに、掛物のひとつも持たせてないような親に、私は何も、勤めんならんことはないと考えるのやけどな。

あの嫁入道具を見て、私はほんまに、呆《あき》れましたわ。刺した雑巾、五十枚も持って来たかて何になる。よそではそれがええ心掛やいわれてもうちは茶家どっせ。北家重代のお道具ひとつぐらい、挨拶代りに持たせるのが親のつとめというもんやおへんか」

と次第に言葉が激してくる気配で、文吉はそれにとどめを刺すように、

「母さま、まだそんなことというてはるのどすか。益子をもらえと勧めはったんは、母さまご自身やったのを、忘れてはるみたいどすな」

といい捨てると、さっさとその場を去って行った。

この年の瀬を越すのに、益子も簞笥《たんす》から何枚かの着物を差出しているが、猫子の気落

ちとこの家の事情は、それくらいのことではとうてい解決できないのは由良子でさえ判り、それだけにこのさき、益子の稽古はますますきびしくなるであろうことを思った。

翌日、文吉は益子を連れて北家へおもむき、一泊して帰ってきたが、果して猶子の益子への当りかたはこれまでに倍してきつくなり、稽古のあと、ときどき益子は放心したように水屋の前にしばらく坐っているのを見るようになった。由良子は最初、その姿を、また母さまにえろう叱られはったんやな、と思っていたが、どこか様子がおかしく、誰かが声をかけるまでときには半日もぺたんと腰を落したまま、うつろな視線を宙にただよわせていることがある。

由良子がそばへ寄って、

「姉さま」

と呼ぶと、目は動かさず、

「はい」

と静かに答えるが、

「帯がほどけてはりますにゃけど」

と注意しても、

「はい」

といったまま、直そうともしない。

しかしいつもそんなふうではなく、由良子について襷《たすき》をかけ、台所を掃除するときもあれば、粥《かゆ》を炊くこともあり、聞かれればまともな答えを返す日もあった。無口で静かなひとだから、一日中ものもいわないでじっとしていても目立ちはしないまま、この変化に気づいていたのは、家中で由良子だけではなかったろうか。

節分過ぎのある日、この頃、所在ないときは茶の間に坐ることの多くなった猫子は、卓袱台の上に硯《すずり》を出して墨を磨《す》っていたが、やがて益子を呼び、

「あんたに雅号をつけてあげたえ」

と半紙を手渡した。

開くとそこには墨くろぐろと、

「黙坐庵益子」

としたためられてあり、それをじいっと、食い入るようにみつめていた益子は、しばらくしてその半紙をひらり、と飛ばし、ものもいわずすうーっと立って二階へ上って行った。

呆気《あっけ》に取られてそれを見ていた猫子は、やがてはっと覚めたようになり、

「何え、あの態度は。由良子、二階へ行てここへ連れ戻して来といなはい」

といいつけた。

由良子が階段を上ってゆくと、益子は座敷のまん中に坐ったきり、仰向いて天井を眺

めており、ときどき腕を挙げて頭の上の空を払っている。その姿は、ちょうど目の前の蠅《はえ》や蚊を追う仕種《しぐさ》に似ているが、いまは極寒の二月、蠅も蚊もいるはずはなく、声をかけても、以前のように返事もせず、振向きもしないのを見て、由良子は引返してそれを猶子に告げた。猶子はべつに案じもせず、

「どうせ拗《す》ねてんのやろ。いまどきの嫁て横柄なもんやな。放っときや」

と気にするふうもなかった。

しかし益子は夜に入っても下りてこず、由良子が何度見に行っても、同じ姿のままであった。文吉や舜二郎も外から戻り、相次いで二階へ上って見に行ったが、舜二郎はすぐ駈け下りてきて、

「姉さまは気が触れたんや。そうに違いない。目のいろが普通やない」

と恐ろしげに口にすると、とたんに猶子は卓袱台を叩いて、

「舜二郎、めったなこというもんやおへんえ。益子は風邪ひいてるさかい、生姜湯《しょうがゆ》でも飲まして寝させたらすぐ癒《なお》ります。さ、由良子、あんたてっとうてお蒲団ひいたってや」

と打消し、そんな不吉な話からはつとめて逃れたいふうに見える。

が、益子の容体は決して風邪などではなく、家族の顔さえ識別できず、その日からずっと、二階で寝たり起きたりするようになった。ただ、文吉だけは判るとみえて、ふと

正気に戻ったときは以前どおりいいつけに従い、階下へ下りて来て皆と一緒に卓袱台につくこともある。益子の思いがけない発病は、この家の暗さにいっそうの拍車をかけた感があり、病気が病気だけにその原因について、猫子と文吉は互いに相手を非難したい気持があるかに見え、とげとげしくなった空気のなかで、果して一夕、二人の激しい口論があった。

文吉は猫子の、峻烈な朝稽古と、その挙句、日頃から口の重いのを気に病んでいる本人自身に、いきなり情け容赦もなく「黙坐庵」の号を与えたのが、益子を狂わせてしまったのだといい募《つの》り、それに対して猫子は、

「なんでそないに、私にばっかり詰めよりますのんや。益子の病いは、あれは神戸から持って来たもんやおへんか。まだうちへ来て三月余りにしかならへんし」

と口を噤《つぐ》んだが、猫子がそのあと飲み込んだ言葉は、居合わせた者皆、十分察しのつくものであった。

もらってまだ日の浅い嫁なら、その病いについての責めは当方にはなし、さと方で引取ってもらいましょう、という言外の意味を、じっと嚙みしめるようにしばらく黙っていた文吉は、やがてまっすぐに顔を挙げて、

「母さま、益子は妊娠してますのや」

と告げた。

そのときの猶子の驚き、目をかっと見ひらき、口を半ば開けて文吉の顔をまじまじと見ながら、

「そうか、そうか」

と、いく度も深いため息を吐きながらうなずきつつ次第に目を落して畳をみつめていたが、いつ生れるかとも、様子はどうかとも聞かず、やがて力無く立上り、無言でよろよろと隠居所のほうへ歩いて行った。

息子のたっての望みをへし曲げてまでも、自分が主張してもらった嫁はすっかり思惑が違い、明日の米代さえおぼつかないこの家で、その嫁は人にいえぬ病いに臥し、しかも子供を孕《はら》んでいるという。

並みの家なら、嫁をもらうは家族が増えて祝着《しゆうちやく》至極、その上、子供が生れるは子孫繁昌の証《あか》しとばかり喜ぶが、いまこの家に、気鬱の嫁が子を妊《みごも》るとなれば災厄というよりなく、窮乏ここに極まれりという有様となる。嫁の病いの心配、生れる子を迎える段取り、と考えればもう目の先真っ暗で、それはひとり猶子ならずとも、この家全体、深い奈落へまっさかさまに陥ちてゆくほどの思いがする。地獄にあるという火の車は、獄卒が罪ある亡者を乗せて呵責《かしやく》するといわれるが、いまこの家は火の車以上の苦しみだと思われ、それは即ち、家族ひとりひとりの感じる痛苦でもあった。

いったい、これからどうしたらよいか、とは誰しも考え、その考えのなかには家族五

人に業躰《ぎょうてい》二人、刺し違えて一家心中、の浮んだひともあるに違いなく、由良子でさえも、一日に何度となく、気がつけば何かに向って手を合わせ、懸命に祈っている自分に気付く。このさい益子を岩倉の病院へ入れるのは、病名が世間に知れるのを恐れるため固くできない相談で、その代り二階に閉じ込め、世話は一切由良子がしなければならなかった。

さいわい病人は極めておとなしく、大声も挙げず動き廻りもせず、まして人に危害を加えることもなく、一日天井を仰いで「蠅取り」をするだけなのは、かえって哀れに見え、由良子がたまに下へ案内すると、知らぬ家に来たようにきょろきょろするが、猶子と仲に出会うと、恐怖のいろを目に浮べ、後退りする。その気配を見れば、毎日の朝稽古がどれだけこのひとの頭脳を蝕《むしば》んでいたか、由良子にも判るような気がするのであった。

絶望のどん底というのは口をきくのものういもので、家のうちは沼の底のように静まり、とき折吹きぬけてゆく寒風に戸障子が鳴るだけの毎日が続くうち、ずっと思案に暮れていたらしい文吉がやっと気を取りなおしたふうに、

「今晩、一人残らず集ってえな」

と皆にいい渡したのは、二月最後の日であった。

この日は昼間、今年はじめての強い南風が吹き、土埃が家の中にまで吹き込んで来て、

由良子はいく度雑巾がけをしたやら、文吉はさらに、

「御祖堂《おんそどう》、よう浄《きよ》めといてな」

と頼み、夕食後一人で祈願してから皆の集った茶の間に入って来た。

益子は加わらず、おのずと日頃から位置の定まっている場所に全員坐ってから、

「母さまも皆も、いまからわしのいうこと、しっかり聞いてや」

と見廻し、改まった口調で、

「家の行末について、ずっと考えてましたんやけどな、ようやく決心がつきました。わし、益子を連れて東京へ行きますわ」

と覚悟のほどを披露した。

「東京とは、何でまた？」

といぶかるのへ、

「再三再四考えた上のことどす。わし十四で家元になってからずっと、京都のうちでは、思いつくところはすべて手を尽して来ましたのやけど、何ちゅうても狭い土地やし、それに天皇さん東京へ出やはったとき、昔のお大名さんお公卿《くげ》さん、皆ついて行かはった。

残ってはる方もおいやすけど、何ちゅうても、もうこちらは政治の中心やおへんさかい、お助け頂いてもその後の発展は望めまへんわなあ。少々気のつくのが遅うおしたけ

ど、これからはもう東京どす。力も財もおすお方は、皆、東京に集ってはります。

幸い、益子の親戚には舞鶴藩主やった牧田子爵さんや、海軍中将の斎藤さんなど、偉いお方がいてはりますし、神戸のお父さんに紹介状書いて頂いて、このお方を頼って行けば、道もひらけると、こない思います。

益子の病気も、このままやったら快《よ》うなるめどは立たへんし、ついには世間にも知れてしまうかも判らへん。丈夫なええ子、生んでもらうためにも、わしと益子がこの家を出るのがいちばんどす」

と文吉が告げると、皆明らかに動揺し、なかでも猶子は気の立った様子で、

「ほな、文吉、何どすか。益子は私と一緒にいてたら病気が悪うなるさかい、あんたが連れて東京へ逃げるのどすな」

「母さま、そんなことというてる場合やおへんえ。いまいうたように、東京は人がぎょうさんいてはります。京都で毎日、袋小路に追いつめられたような思いをするのやったら、思い切って広いところで自分の力を試してみるのもええやおへんか。それとも母さまは他になんぞ方法があるといわはるのどすか」

と問い返されると、猶子に返す言葉は無いが、しかし文吉の思いつきはまるで雲を摑《つか》むような話で、家の再興につながる具体案は何も無い。文吉は猶子の手前一応打消しはしたけれど、この案の唯一の得となるのは、益子の病いのためには嫁姑別居するのがい

ちばんの薬ということで、このさいたとえ小さな得であっても、それに傾かざるを得ないという事情はある。またそれに関わって、家に貢献するほどの道具を持参しなかったといわれる益子の立場のためにも、実家の親戚の力を知ってもらう必要があると文吉は考えたのかも知れなかった。

しかし、生れ落ちて以来京都を出ない人間にとって、江戸の東京は依然生き馬の目を抜くほどの恐ろしい土地であり、その広い東京で現在、茶湯の人口がどれだけ存在するのか、後之伴家《うしろのばんけ》の流儀がどうなっているのかさっぱり判っておらず、文吉の上京は、まるで小舟ひとつで闇夜にしけの大海へ漕《こ》ぎ出して行くかのように猶子には受取れる。かといって、おやめやす、といえるだけの力は猶子にはもはや無く、むしろ、この家の血路をひらく使命をも担って、あえて危険いっぱいの土地へ出ようとする息子の志を、賞《ほ》ぎ、励ましてやらなければならなかった。

いささか納得し難い気持を胸に持ちつつ、

「お前がそれほどまでに益子のためを思うのやったら、私らは何もいえへん。そやけど、私らのことはどう考えてはるのどすか」

と聞けば、文吉は居ずまいを正して、

「いまうちは危急存亡のときやさかい、つらいことも皆、我慢してな。先ず母さまは、ここにおいやして留守を守って頂きとおす。家を畳むわけやなし、看板はいままでどおりどすさかい、仲は母さまを助けて茶の道の絶えんよう、せえだい勤めてもらわんなりまへん。次に舜二郎は、大徳寺へ入って修行しておくれやす。わし明日にでも行て、頼んでくるさかい」

の言葉が終らぬうち、舜二郎は大声で叫んだ。

「大徳寺なんど嫌や。俺、自分で食べるくらいはどないでもするわ。大工かて巧いし、左官かて出来る。俥引《くるまひ》きしたかて、餅売《もちう》りしたかて一人でやっていける。大徳寺なんど誰が行くもんか」

というのは、禅寺の修行の荒々しさは早くから聞えており、教旨体得のための、飲まず食わず寝ずものいわず、の徹底鍛練には誰でもほとんど血を吐く思いをするという。後之伴家では、文吉舜二郎の兄弟喧嘩のさい、いつも猶子が、

「二人とも大徳寺へやるさかいな」

といえばぴりりと効き、たちどころに争いは納まってしまうだけに、いまなおそこは戦慄《せんりつ》の対象として舜二郎の脳裏には灼《や》きついているらしかった。それだけになおも、

「兄さま、俺はもう十六どっせ、寺の小僧には年いきすぎてるし、大徳寺かて、俺みたいなもん、要らんていわはること判ってる。頼みやさかい、他のことさしとおくれやす」

「あかん」

と、文吉はこの家の長たる威厳を示して、

「舜二郎、お前まだこの伴家に生れた人間としてのほぞが決まらんのやな。うちはな、どないにおちぶれたかて、利休さんの末裔《まつえい》どっせ。わしにもしもの事があったら、お前は家元にならんならんひとや。そのお前が、餅売りやら俥引きやらでけるかどうか、よう考えとおみやす。世間の目がどうこういうのやなしに、わしまで十三代のあいだ、一族挙げて茶の道に生涯を捧げて来たひとたちに対して、申し開きが立つと思うか。

きっと利休さんは、茶を捨ててものをひさぐ稼業になり果てるよりは、この家にて飢え死にすべし、と教えはるに違いない、とわしは思う。うちは三代の秀旦さんが、十の年から六年間、大徳寺へ入らはったそうやけど、お寺の修行が実際にどれだけ役立ったか、侘び茶の完成やら、茶禅一味の茶道の確立やら、これ皆、秀旦さんが成し遂げはったこと考えると、よう判りますやろ。

舜二郎、こんなときこそ、心揺らいではあかん。わしは法華やさかい、大徳寺へ入ることはできひんけど、お前がこれから禅の学習してくれてる、と思うと、どれだけ頼もしいか知れへん。わしも安心して東京に行けるちゅうもんや。将来必ず、修行が実る日が来ると信じてるさかい」

と説く兄の前に、舜二郎は反撥《はんぱつ》できず、じっと頭を垂れるより他、なかった。

それにしても、いまさら寺の小僧とはまことにつらい運命だけに、それをいい渡す文

吉の胸の内もさぞかしと思われ、猶子も声を呑んだままでいる。文吉はさらに、

「次は不秀《ぶしゅう》やけど」

と心もち不秀のほうへ向きなおって、

「いままでよう辛抱してくれてはったけど、もうこの家でお前が習得せんならんもんは、何にも無うなってしもうた。行末も見届けずに暇出すのは、まことに申しわけないと思うけど、お前もまだ若い。確かわしの二つ上やったな。いまからでも遅うはないさかい、どこか行先かまえてくれへんか」

といい難《にく》そうに告げた。

不秀は俯《うつむ》いて涙をこらえていたが、やがてはるかに下座に退り、両手をついて、

「宗匠さま、不秀命をかけてのお願いどす。どうぞ私を、この家においとくれやしとおくれやす。庭師やった父について、九つの年からこちらにご奉公さしてもろて、もう十三年経ちましたけど、稽古はまだほんのとばぐちどす。私は一生死ぬまで、ここのお家に仕えさして頂くつもりで雇うてもらいましたさかい、いま出ていけと仰せはるのは、不秀に死ねといわはるのとおんなじことどす。

どうぞ、軒下なりと、土間の隅なりと、この不秀をとめおいとおくれやす。食べるもんがなければ水飲んでてもかましまへん。はくもんがなければ裸足《はだし》でもよろしおす。こういうことも有難い修行のひとつやと、宗匠さまは教えてくれはりました。どうぞ、ど

うぞ、どうぞ」

と畳に額をすりつけ、泣きながら懇願する不秀の姿に、文吉は憮然《ぶぜん》として頭を垂れるばかり、猶子も仲も、言葉を添えて取りなそうにも、東京行きという突然の申渡しの前にどう処置してよいか判らず、さし出た口をきくのは控えねばならなかった。由良子もまた、さきほどから別の意味でしきりに胸騒ぎ、とうとう来るべきときが来たと考えている。不秀の始末がついたら次は自分の番となり、こうなれば十中八九、お前は元来この家の子ではない故に、親の許へ帰れ、という指図が下るもの、と思われ、いまはそれもなりゆきだと覚悟を決めるより他はない。が、何故か涙はあとからあとから滲んで来、しきりに鼻をすすり上げているのへ、文吉が目を投げて、

「次は由良子」

というのと、その気配を感じ取った猶子が、

「由良子は」

と強く制したのとほとんど同時であった。猶子は文吉の口を封じるようにすぐ続けて、

「由良子は、是非とも引続き私の手もとに置いといてもらいとおす。亡くならはったお祖母さまがよういうてはりました。由良子はいまどき珍しいほど心がけのええ子や、この家の観音さんや、家守りの観音さんはどんなことがあってもよそへ出したらあかん、てなあ。これがお祖母さまのただひとつのご遺言やと私は思うてます。ご遺言に逆ろう

てはあかん。守らなあかん」

と強い語調で文吉に進言した。

由良子はこらえ切れなくなって卓袱台の上に泣き伏し、肩を波打たせながら嗚咽《おえつ》した。誰もそばへ寄って来て慰めてくれもしないかわり、泣くのはおやめ、ともいわなかったが、それは暗黙のうちに、由良子の出生の秘密がここではじめて皆に容認されたような感じがあった。即ち、猶子が我が腹をいためたわけでもない由良子を庇《かば》い、それが暴露される寸前に助け舟を出した態度や、由良子もその経緯を内心察しているからこそ、これほどまでに泣いているという推察もでき、そしてまた由良子自身も、ここにいる全員がこのことをもはや承知の上だと判るのであった。しかし、誰ひとり言葉には出さず、ただ黙って由良子を見守っているばかり、文吉も手を束ねていたが、いたしかたなし、と考えたのか、

「ほな、由良子のことは、母さまにお任せいたしまひょ。ほんまいうたら、由良子には益子の看病もして欲しいし、東京で子供も生まんならんさかい、それも手っとうてもらいたいのやけど、いまはそうもいうてられへんしな。

不秀の身の振りかたについては、もう一ぺんよう考えてから決めることにしょ」

と話の区切りをつけた。

が、誰も立つ者はなく、うなだれて考え込み、猶子が吐息とともに、

「一家がちりぢりになるやなんてなあ。いっそこの家に火つけて、皆一しょに死んでしもたほうがなんぼかましやないかしらん」

と呟《つぶや》くようにいったが、それに対しては相槌《あいづち》を打つ者はいなかった。しばらくして文吉が、

「母さま、そんなふうにお考えにならんといて欲しおすな。父さまの隠居かて、世間にはお茶を拡めるため、で通してますし、また実際にそれもほんまどす。わしかて、東京に望みを繋《つな》いで出発するのやさかい、皆に喜んで送り出してもらいたいと思いますのや。夏には子供も生れて、家族も一人増えますしな。それをきっかけに、この家も必ず立ち直れると考えてますにゃけど」

と、文吉は家長だけにさすがに愁嘆は見せず、思い切りよくまっさきに立上り、

「さ、早う寝て。油ももったいない。明日からせんならんことは仰山ある。忙しなるで」

と、二階へ上って行った。

三代以来、家元はずっとこの地を出でず、折ふしの旅はあってもひたすら茶湯の世界に沈潜してきたものが、いま十三代の世になってゆかりの京都を捨て、縁も薄い東京へ身ひとつで漕ぎ出してゆくという。文吉がどんなに言葉を繕っても、一家離散の思いは捨て切れず、その夜は一人一人、抱え切れないほどの気持を胸に、寝苦しいときを過し

た。

由良子もかっきりと目を開き、深い闇の奥をみつめていると、やはり自分の将来についてのさきほどのやりとりがいく度もいく度も谺《こだま》をひいて耳によみがえって来る。あのとき、文吉が飲みくだした言葉をそのまま口に出していたら、由良子はおそらく、近いうち妙寿庵へ引取られる運命であったに違いなく、そのどちらがよいかと誰かに聞かれれば、由良子は本心、どう答えてよいか判らなかった。自分を手離さぬと、断固いい切る猶子ももったいなく、嬉しいが、しかしあの辻模様の振袖が語る、やさしい体つきの生みの母にも会いたい思いはやみ難い。それもなお、父とともに過せるならこの上の望みなしと思えるほどだけれど、そうなると、家守りの観音さん、という祖母の言葉が見えない笞《むち》となって、由良子の肩をしたたかに打つ。

陽《ひ》の恩、土の恩、そして茶の恩、いずれも尊く有難いけれど、それにも増して人の恩を忘れるようでは犬畜生に劣るもの、という祖母の口ぐせはいまも由良子の耳の底にぴったりと貼《は》りついており、それを忘れて妙寿庵へ帰るなどもできないことであった。

それにしても、京に住む身にとっては土地柄の異る東京とはまことに恐ろしく、そのまっただなかへ、気鬱の病いを持った身重の妻を抱えて出てゆく二十の兄と、はるか年下の先輩について、いまから寺小僧の修練を始めなければならぬ同年の弟、母は家元留守の家に取残され、自分はその母のもとで、明日をも知れない日を送らねばならぬ。考えているど、心細さに震えてくるが、女の身ではどうするすべもなく、すべて運命として受取らねばならなかった。

ともすれば沈みがちな家の空気を救うのは、文吉のしっかりとした態度であって、それは遠からず父親となる男の、自覚というものでもあったろうか。忙しなる、といっていた通り、翌日から益子の実家を訪れたり、東京の様子も調べねばならず、そして先立つものの調達にも頭を悩ませているらしかった。仲と二人、算盤《そろばん》を持出して弾きつつ、

「東京新橋までの汽車賃が三円五十六銭どすか。ええ値どすなあ」

「まさか歩いては行けへんしなあ。家賃でも東京は五十銭出さんならんしな。これで棟《むね》割《わり》長屋かも知れん、というひともいてる」

「家賃払うやなんて、あほらしおすなあ。それに水かて薪《まき》かて、皆お銭出さんなりませんさかい、かないまへんな。うちのように裏の藪《やぶ》から焚《たき》もん拾て来て、井戸の水で煮炊きするちゅうわけにはいかんもんどすやろか」

などと計算し、文吉もこれからはしっかり金の勘定もしてゆかねばならなかった。

三月に入ってまもなくの夜、ふだんは極度に油を惜しむはずなのが、拙々斎《せっせっさい》に三つもらんぷを灯してあり、由良子は明るさに引寄せられて入ってみると、そこには道具類が積み上げられてある。いわずと知れた道具屋への売渡しで、こういう光景にはもう馴れている由良子は、そのひとつひとつ目を当ててみると、それはついさき頃、この部屋で

披露したばかりの益子の嫁入道具がそっくりそのまま、集められてあった。

「東京へは道具なんぞ、何にも持って行けしまへんのや」

と文吉はいっていたけれど、やはり売払ってしまうのか、と判り、それにしても姉さまお気の毒、と思いつつ由良子はせめて名残りに、と順に見て廻り、最後の荷の前に来たとき、一度に体中の力が抜け落ちてしまうかと思うほどの感じを受けた。そこには恭又斎《きょうゆうさい》から贈られた婚礼の祝いの品が置かれてあり、無論由良子の振袖も、見覚えのあるたとうのまま、並べられてあった。

この着物に対し、由良子がどれほど深い思いを抱いたか、まだ見ぬ母の匂いを知りたくて鼻に当てて深呼吸し、頬ずりし、その挙句、胸溢れる思いで手を通して女蝶《めちょう》の役を勤めただけに、いまこの品が人手に渡ってしまうのはとうてい耐え難かった。まわりには誰も居らず、いまのうちにこれを退《の》け、素知らぬ顔をしていても判りはすまい、隠しおし、と自分をけしかける思いがあり、そのつもりで手はしっかりとたとうを抱え上げているのに、体は動かず、そこに突っ立ったまま迷いに迷っている。父さまがこの自分に下されたもの、と強く主張したい衝動を、後から引きとめるものには、新婚の道具まで売払わねばならぬ家の窮状があり、それを思うと由良子の執着もたちまち後退せざるを得なくなる。

まもなく、玄関に人の気配があり、道具屋を案内して入って来た文吉はただならぬ由

良子の顔いろと、抱えているものを見て、

「それはまたわしが買戻してやるさかいな。一旦このひとに預けてや」

とやさしくいい、由良子は仕方なくうなずいて力無くたとうを下に置いた。

道具屋との駈引きにもすっかり馴れた文吉は、てきぱきと、

「こっちの山は新しもんばっかり、こっちは抱一やら宗哲やら、値打もんがあるさかい、一山なんぼやのうて、一品ずつ値えつけてや。うちもこれが最後や思うさかい、うんと気張ってな」

と注文をつけ、その声を背に聞いて、由良子はふらふらと拙々斎を出、梅の井のわきの庭下駄を穿《は》いて暗い庭に下りた。三月の夜気はまだふるえ上るほど寒いが、それを身に感じないほどいま由良子は悲しく、闇のなかの見当で秀且銀杏《いちよう》をさぐり当てると、その幹に手をかけて空を仰いだ。まだほつほつの芽も見えぬ銀杏の枝のあいだから、凍りついたようにまたたいている星空が見え、そのひとつをじっと見つめていると、面影さえ知らぬものの母の深い瞳《ひとみ》のいろかとも思われ、折角振袖にめぐり会いながら、その移り香さえ止どめ得ぬまま我が手を離れ、行方知れずになってしまうはかない運命が呪わしく、つらかった。

翌夕、不秀の願いは聞き届けられ、ついては東京随行の命が出たが、先ず文吉だけ先発し、家の手当が出来てのち、不秀が益子に付添い、後を追って上京する手はずなのだ

という。

舜二郎の寺入りの話もまとまり、こちらは兄よりも一足早く、家を出ることになった。二人とも男だけに、事が決まればいつまでも悔みはせず、舜二郎の出立は風呂敷包みひとつ首に巻いたいとも気軽な姿で、出がけに、文吉と猶子に、

「これ、俺の餞別どす」

とうやうやしく小さな包みを手渡し、さっそく開けてみた猶子が、

「まあお前、煙草やおへんか」

と驚くと、

「へえ、両切のサンライズどす。この春、村井商会から出たばっかりのを、俺、ちょいと手に入れて持ってましたんや。寺へ入ったら喫《す》うこともできひんさかい」

と、にやりとして人の笑いを誘い、最後まで舜二郎らしかった。由良子にはさすがに改まって手をつき、

「姉さま、母さまのことくれぐれもよろしお願い申します」

と挨拶を忘れなかったが、猶子はわきから、

「舜二郎は私のこと、いくつと思うてるのや。まだ四十二どっせ。年寄扱いせんといて欲し」

と遮《さえぎ》り、文吉はそれを聞いて、

「母さま、その意気、その意気」

と手を叩く一幕もあった。

続いて文吉は三月十八日、まだ花の噂も聞かれぬ寒い京都を早朝、出発することになり、人目に立つのを憂えて、家族の見送りは兜門限りに決められた。その朝、由良子は二階へ上り、益子の髪を取上げてやり、身繕いもさせ、手を引いて門まで連れて出た。夫が遠い東国へ旅立つことなど益子は判らぬらしく、うつろな目差《まなざ》しでぼんやりと突っ立っているのへ、文吉はいく度も、

「ええか。おとなしして、待っといなはい、な。十日もしたら手紙出すさかい、不秀に連れて来てもらうんやで」

といい聞かせ、一人一人に懇《ねんご》ろな言葉をかけて小川通りを朝靄《もや》の向うに遠ざかって行った。

烏打帽にもじりを羽織り、大きな信玄袋を肩にした文吉の後姿を見送っていると、年はまだ満の二十に足らず、五尺一寸という小兵のその躰《からだ》ひとつに、一家の運命を背負い、土一升金一升の東京へいまから打って出なければならぬむごさが思われ、我が身のこれからの心細さも忘れて由良子は指の腹でぐっと瞼《まぶた》を押えた。猶子も襦袢の袖口を目に当てており、そういう姿を憚《はばか》って、仲が女三人をそっと家の内へと引入れるのであった。

　文吉に次いで、大きな葛籠《つづら》を背負い、片手に信玄袋、片手に益子の手を引いた不秀が京都を発って行ったのは、月替りの十一日の昼下りであった。大阪から、御殿場経由の東海道線は新橋まで十八時間五十二分もかかるだけに、少なくとも二食分の弁当を持って乗らなくてはならないが、不秀の背の葛籠には最小限の茶道具だけは入れておかねばならず、従って手廻りのもの、衣類、食糧は切詰めるだけ切詰めるという按配《あんばい》になる。

　まだ病いもかんばしくない益子の身を思って京都駅までは由良子が送って行くことになり、花見どきのざわついた町のなかの人波を縫って歩きながら由良子は、こうして賑やかな通りに出て来るのはいったい何年ぶりか、と思った。夜が明けて日が落ちるまで家のうちを出ず、家族の暗い顔ばかり見て暮していれば垣のうちがすべてと思い込んでいるが、雑踏に揉《も》まれていると、世間とは広いものだとつくづく感じる。

　赤煉瓦《れんが》造り二階建ての停車場に入り、ホームのベンチに三人並んで腰を掛けて待つうち、大阪方面から白い蒸気を高く、長くなびかせながら大きな汽車が入って来たのを見て、由良子は驚きと同時にひどく胸が高鳴った。京都に鉄道がついたのは明治九年のことで、勘定すれば由良子の生年と同じなのだけれど、その年の話題を誰も避けていたのかどうか、家うちで汽車の噂が出たことはなく、十六のいままで由良子はこの停車場へ足を踏み入れたこともなければ、汽車を見るのもいま初めてであった。

　不秀と益子がもの珍しげに見廻しながら乗込み、窓際に坐った二人に向って発車まで、由良子はホームから、すでにいく度もいったはずの「どうぞお達者で」「兄さまによろしいに」「さいさい便りおくれやす」をまた繰返すと、家を出るときから顔つきの和《なご》んでいた益子はにっこり笑い、「おおきに」と頭を下げた。その視線はなお空《うつ》ろで、由良子をまっすぐ見ているわけではなかったけれど、こんな晴々とした益子に接するのは久しぶりだっただけに、由良子はひそかに、東京へ着いたとたん気鬱の病いは癒ってしまうのではないかしらんと思った。

やがて汽笛が響き渡り、黒い巨体を揺らせながら汽車が出ていったあと、由良子は長いあいだホームに立ったまま、黒光りするレールをみつめ続けた。汽車というものは何と速い、何と楽な乗物やろ、と目を見張る気持は即ち、いっぺん乗ってみたいなあの願望に繋がっており、さらに胸の扉を開いてみれば、あの汽車に乗ればすぐにも妙寿庵へ行ける、の思いであった。これまで、家のうちで誰かが妙寿庵への往き戻りを口にしていても、それははるかに遠い場所のように考えていただけに、不秀と益子があの汽車のあの窓辺に坐ったまま、明日は東京へ着くのだと思うと、妙寿庵などほんの一っ走りの距離にあることが判る。

由良子は吸い寄せられるように、時刻表と料金表を掲げてある黒板の下に行ってそれを見上げた。白字の時刻表には東海道線下り列車は京都駅、向日町《むこうまち》、次がもう山崎で、赤字の料金表はそこまで五銭と書かれてある。五銭とは大金だけれど、もの心ついてからずっと一厘二厘、と集めた土の擬宝珠《ぎぼし》の自分の貯金箱には、おおよそ山崎へ往復するだけの高は入っているはずであった。お年玉やお使いの駄賃を入れ、ときどき耳もとで振ってはその重みを確かめているこの擬宝珠を、舜二郎は少し中身が溜まるとすぐ割って使ってしまい、まだ一度も割ったことのない由良子は、祖母から、

「全部詰まったら嫁入道具のひとつに持って行きおし。相手の旦《だん》さんに、私の辛抱のかたまりどす、いうて差出したら手叩いて喜んでくれはるえ」

と褒められたこともある。

黒板を見上げていると、妙寿庵行きの可能性は高まってきたものの、しかし汽車を利用してもやはり一日がかりとなれば、その時間はいまの自分には楽に取れそうにもなく、由良子はまもなく、すごすごと引返した。猶子は昨日から風邪気味で床についており、それがこの家もいよいよ三人限りになってしまうことの気落ちから来ているのが判るだけに、益子と不秀が元気で無事に発って行った様子を詳しく報告して安心させなければならなかった。

そして、翌日からの後之伴家《うしろのばんけ》の明け暮れは、かねて覚悟の上とはいいながら、たとえようもなく淋しいものであった。先々代得々斎壮年の時代には家に人溢れ、道具類は輝き、四六時中、どこかの茶室に釜の懸っていないことはなかったのに、この五十年足らずの年月にその盛隆は年を追うて衰微し、いまはたった三人、これといった話もなく、

たまさかに誰かが口を開けばまるで山中の会話のように、家中に谺《こだま》するほどに感じられ、由良子は座敷を歩いてみて、これほどに広い家だったのかといまさらに感じられるのであった。幼い頃も、この家が城のように大きく感じられたけれど、それはあまた侍《はべ》る人がいての話、いまの広さはまるで吹き抜けの破《や》れ城、とでもいいたい様相を呈している。茶家は人の出入りあってこその繁栄だが、住む人も少なくなって兜門の隅にも蜘蛛《くも》が巣を張るようになれば、それがいっそう人の足を遠のかせるようになるのであった。

気丈な猶子もさすがに気分衰え、生姜湯を運ぶ由良子に、

「家て、泣くもんやにゃなあ。この年で初めて知ったわ。夜なか耳澄ますと、ギシギシいうて天井やら梁《はり》やらが悲しそうに泣いてるんや」

などと弱気な言葉をこぼすこともある。

もちろん収入の道は途絶え、台所を預かる由良子が、焚《た》くものは裏の藪や道端から拾い、野菜は摘み草をし、三度の食事を二度に切詰めても、最低限の米と塩を買わねばならず、それも仲の調達がむずかしいときは、水を飲んで腹を撫《な》でているばかりの日もある。こういう日々に三人が三人とも愚痴らしい愚痴もこぼさずにいられるのは、あきらめの気持もさることながら、大げさに悲鳴を挙げれば世間に知れるという忍耐と、そして在東京の家元に託す一縷《いちる》の望みではなかったろうか。

しかしその文吉からは便りはなく、不秀が麻布区我善坊町の住所から二人安着の葉書

を寄越したきり、夏になっても何の消息も聞かれなかった。長い風邪からやっと抜け出た猶子は、

「便りのないのは無事の証《あか》し、というさかいなあ」

と一人胸をさすってみたり、また指折り数えて、

「生み月は八月やさかい、もうじきやな。支度はできたんやろか。東京には産婆さんいてるやろか」

などと、さすがに初孫を迎える気持の昂《たか》ぶりを見せる。

知らぬ他国で身重の病妻を連れ、茶道で身を立てようとする文吉の苦労は並大抵のものではないと思われ、新聞も取らぬまま東京の様子は判らないものの、聞耳を立てていればとき折は風の噂も伝わってくる。東京では当今、川上不白を開祖とする江戸千家と、山田宗徧を祖とする宗徧流が広く根を張っており、人口百二十万余の日本一の大都会とはいえ、この中へ素手で斬込んでゆくのを、京の地から眺めているのは心穏やかならぬものがある。

が、あれこれ案じても、手をさしのべることは叶わず、また不如意の暮しでは襁褓《むつき》一枚送ってやることも出来ないままそのうち例年どおり祇園祭の囃子《はやし》も遠音に聞いただけで過ぎたある日、文吉から益子無事出産の便りがあった。

七月三十日、八百匁近き丈夫な女児出産致し候。早速、市子と命名仕《つかまつ》り候。なお益

子こと、当地の暮しに馴れるにしたがい、病いも全快致し、只今にては子供の養育に何の支障もこれ無く、安堵致し居り候。なお小生の仕事もおいおい順調に進むべく、誠心鋭意、準備中に御座候。

と文言明快のよき知らせで、茶の間では三人頭を寄せ合っていく度も読み、久しぶりに笑顔を見せ合った。早速猶子は返書をしたため、当方無事に機嫌よく過している故に、宗匠は心おきなく東京での仕事に専心して下され、と励ましたものの、その封書を投函できたのは五、六日ののちであった。封書の郵便料は二銭、豆腐なら四つも買える値段とあって、このせつ捻出《ねんしゅつ》は困難だという事情がある。逆にいえば、家計も苦しいであろう文吉に便りをせがむのも憚られ、その手紙の末尾に、

今後とも便りは、よき知らせのみにて可也。

と猶子は追伸してやるのであった。

こういう逼塞《ひっそく》の暮しのなかで、由良子はこの頃、思いがけず、小さなひとつの楽しみをみつけている。それは不秀の出発の際、一日、台所で洗いものをしている由良子のそばへ来て、頭を下げ、

「由良子さま、ご無理や思いますにゃけど、不秀のたってのお願い、お聞き届け頂けませんやろか」

といい、由良子がうなずくと、ほな、こっちゃへどうぞ、と先に立ち、台所口から倉

の横を通って庭の地蔵堂の裏へと案内して行った。

　由良子はふだん滅多と足を踏み入れたことはないが、ここは小さな茶花畑になっており、釜を懸ける日は無くても手入れだけは怠らなかったとみえて雑草の一本見えず、土はほかほかとふくらんでいる。また木と草花もところを分けて栽培されてあるばかりでなく、一木一草きちんと花名を書いた木札が立てられていて、南面に唐松草、おだまき、げんのしょうこ、小判草、こまつなぎ、沢あざみ、三寸あやめ、白糸草、などが見られ、湿気の多い藪際には車あざみ、舞鶴草、鬼ゆり、苔《こけ》りんどうの名が読める。

　不秀はその前にしゃがみ、さもいとしそうに枯葉を取り除いて、

「忘れもいたしませんけど、宗匠が家督をお継ぎにならはったとき、仲先生から私と二人に茶花のお話がありました。花は足で生けよ、というお教えどして、それから私、毎日のように神社や寺や、山野を歩いて集めて来ましたんが、ここの畑のもんどす。私の心得が足らいで枯らしてしもうたもんもおすけど、たいていのもんはここにありついて、いままで用を足してくれました。ほんまの気持申しましたら、これ皆、東京まで持って行きたいほどに思いますにゃけど、それはなんぼなんでも叶いまへん。つきましては、由良子さまも奥の仕事でお忙しいのを重々承知の上で、ここの畑のこと、よろしお願い申上げとう思いますけど、どんなもんでっしゃろ」

と遠慮がちにいう不秀の言葉の前に、由良子は即断できかねて、その花々を眺めた。

茶家に生れ、身内の者に付いて一とおりの茶湯の稽古はできていても、自ら茶花を栽培するなど思いみもしなかっただけに、不秀が山野を駈けめぐって集め、丹精したというこの畑をそっくり我が手に受取るような大役にはひどく気怯《きおく》れを覚えてしまう。それに由良子は、今まで不秀からものを頼まれたこともなければ、このように二人向き合って親しく言葉のやりとりをした覚えもなく、ここで直《ただ》ちに承諾してしまうのはあまりにはしたなく浅墓だと感じるところもある。ためらう由良子を見て不秀は、恐縮し、揉《も》み手しながら、

「いやこれは、めっそうもない仕事を由良子さまに押しつけようとして、ほんまにすんまへんどした。どうせ私がいなんだら、荒れてしまう畑どっさかい、お願いせんかてよろしおしたのに。まさかの場合にも椿と木槿《むくげ》の木がありさえすれば、何とか茶室の恰好はつきまっさかいなあ」

としょげる不秀を見ると由良子は、この家の留守を預かる身の役目が改めて思い起され、思い切って自分を励まし、

「あんなあ不秀さん、ほなうちやってみまひょか。土弄《いじ》ったこともないし、でけるかどうか判らしまへんけど」

というと、不秀はほっと安堵の顔つきになり、ほんまどすか、おおきにを繰返しながら懐から一冊の古びた帖面を取出し、

「これは御祖《おんそ》さまはじめ、名のある茶人の方々の花に関わるお言葉の書き抜きと、十一代得々斎さまの花についての心得、それに私が花の世話についての心覚えを書き記したもんでございます。人さんにお見せするつもりやおへなんだもんどすさかい、お見苦しゅうございますけど、どうぞ参考にしとくれやしとくれやす」

と、丁寧に頭を下げ、捧げるように由良子にそれを手渡した。

実のところ由良子は、このとき茶花の栽培がどんなものやらまだ何も判らず、不秀が東京へ発ったあと、一週間の余もこの帖面を茶の間の隅にそのままにしてあった。春の雨が二日ほど続いたあと、ふと思い出して裏へ出てみると、出発の朝まで不秀が手入れしていたそこには、男の頰の不精髭《ひげ》のように短い雑草がいちめんに伸び、根元をその雑草に取巻かれた草花たちは、まるで由良子の助けを求めているかのように見えた。由良子はその場にしゃがみ、指先で雑草を引きはじめたが、知識のない身にはどこまでが雑草で、どこまでが花の芽か判別がつかなかった。ま、こんなにはびこって、と力任せに抜いてみれば、わきには「母子草」と不秀の書いた名札が立っており、これはいつか釣舟の花入れで見た「からすのえんどう」だと思ってそのままにしておくと、名札もなく、どうやらただの雑草らしかった。

茶の間に戻り、改めて不秀の帖面を手に取ってみると、どの頁も手紙や、障子紙の反故《ほご》の裏を二つ折にし、木綿糸でしっかりと綴《と》じられていて、そこには不秀自身の手でびっしりと細かく書きつけてある。先ず由良子も知っている、「花は野にあるように」や、「青竹の清きを切り、清き水を張り、清き心をもって、清き花を活《い》ける」の「四清同」や、「名を知らざる花は生くべからず」、そして「花の事、座敷よき程、かろがろとあるべし」の村田珠光《じゅこう》の戒めなど、さまざまな名言のあとに、禁花の決まりを「南方録」の狂歌から写した項もある。得々斎の文章は、

茶室ノ内ニ掛物釜ヲ始メ、諸道具悉《コトゴト》ク死物ニシテ漸《ヨウヤ》ク火相ト花トノミ活物ナリ、是《コレ》トテ己《オノ》亭主未熟ナレバ火相モ花モ死物トナルナリ。

と一際大きく書かれてあり、それを読んだとき、由良子ははらりと目からうろこの落ちた思いがした。なるほど、火と花だけが茶室のなかの生きものやったんか、と思うと、炎天下に灰を拵える修行も、山野を草鞋《わらじ》がけで駈け歩き、一株の花を大事に運んで戻る心がけもしっかりと理解され、これからその花の手入れを受持つ自分の役目も意義あることと思えてくる。

帖面の後半は、採取についての不秀の記録で、

杜鵑《ほととぎす》　何月何日　尺八池の渓流をさかのぼり、釈迦《しやか》谷の崖《がけ》にて発見、あばた面なれど花相可憐なり、ほととぎすの飛ぶ様に似たる故の花名ならむ。

唐糸草　何月何日　鷺森《さぎもり》神社の境内に生い茂るよし聞きて乞いたる也。蓼《たで》に似たれども、蓼よりは一段と優雅の美あり。世話いらず放置しても可。

などと花に対する感想をも交えながら詳細に記されてあり、それぞれ「水を欲しがるなり」「乾きてよし」「日陰を好む」と栽培上の注意をも併記してある。読みながら由良子は、この帖面一冊のなかから、不秀の花にかけるただならぬ思いが立ちのぼってくるように感じられ、留守のあいだ、自分がきっとそれを引継いであげなければと思うのであった。

猫子も仲もむろん花に対しては一入《ひとしお》の思いはあり、この畑の隅には猫子が植えた故に名付けられた「真鏡院木槿」の一株もあるが、いまは茶席に招く客もなければ気も萎《な》えるのか、二人とも畑には下り立つこともなくなっている。それでも由良子が、採取用の小鍬《こぐわ》などの荷を担ぎ、

「今日は北山めぐりをして来ます」

といえば、身を乗り出すようにして、

「珍しお花さん、お連れしてや」

と励ましてくれ、ときどきは仲も、

「お供しまひょか。あんまり奥山はいったら危うおっさかい」

と気づかってくれたりする。

家のうちで、眉根を寄せた猫子相手にひっそりとお針をするのも由良子は決して嫌とは思わないが、花を捜して山坂を巡れば清新な気分になり、いつのまにか渓流の細くな

っているところへまでさかのぼっていたり、市街が小さく見えるほどの高みに登っていたりする。いってみればこれは、思いがけなく不秀から贈られた由良子の気晴しであって、その証《あか》しに、折角山から取って来た株も、畑に下ろしてすぐ枯れさせてしまったり、生育がひどく悪かったりして、草花の種類はさして増えはしないのであった。

客はなくても、茶道でいう今日を限りの一日花を、この上なく新鮮に由良子が茶の間に生け、猶子を慰められるようになるのはずっとのちのことになるが、花作りのささやかな楽しみのあいまに、由良子にはなお胸の内でくすぶり続けている思いがあった。この春、七条の停車場へ益子と不秀を送って行ったとき芽生えた願いで、忘れようとしても抑えつけようとしても、それはすぐ起上ってくる。以前のように、家の内から出ることなく一日を過していれば或いはあきらめていたかも知れないが、いまは茶花の採取という名目もでき、山崎への往復も決して不可能ではなくなっている。

山行きの途中、また鴨川へ栽培用の小石を拾いに行く道すがら、このまま七条へ行けばあの陸《おか》蒸気が自分を難なく山崎まで運んでくれる、擬宝珠《ぎぼし》を割れば運賃もある、としきりに心のうちから誘うものがあり、ふと踵《きびす》を返して、と思わないでもないけれど、それを実行に移せないのはやはり真っ先に猶子の顔が浮んでくるからであった。育ての親を騙《だま》して生みの親に会いにゆくのはいかにも罪深く、もひとついえば、亡き祖母が悲しそうに首を振ってとどめている姿も見えてくる。

山崎へ行くのは人の道に背《そむ》く行い、と自分にいい聞かせ、いい聞かせ、その年をようやく越し、文吉たちを送ってこの家にもようやく一年の月日が巡って来た。東京からの便りはその間一度だけで、よき知らせのみにて可也、の文言を固く守ってのことか、或いはまた、東京の暮しに馴れて京のことは忘れ去ったか、葉書に走り書きで、

市子も日々成長いたし、一同息災に暮し居りますれば、当方お案じ下さるまじく、留守宅の皆様方こそ何卒《なにとぞ》おん身ご大切にと祈り上げ申候。

という、たったこれだけの文字でも、親の身ならいく度もいく度も読み返し、

「市子も成長したて」

「一同息災やて。益子も快《よ》うなったんやな」

と、当分はくどいほどその話題ばかり、そんな猶子の姿に接していると、やはり捨て切れない自分のひそかな企みにも胸を嚙まれる。

四月も尽《じん》の日、由良子は早朝起出して裏の畑へ行き、靄《もや》のなかで袖のなかに隠し持った素焼の擬宝珠を出し、茶花畑の端の石にそれを打当てた。音を憚り、はじめはそろりと落してしくじり、次は少し力を込めて打ちつけると、意外に脆《もろ》くぽっかりと穴が開き、微塵《みじん》に飛び散りはしなかった。中には緑青《ろくしょう》の浮いた銅貨が底に溜まっており、一厘銭五厘銭指先でつまみあげながら勘定すると、全部で二十銭あった。由良子がもの心つく頃から貯めた額にしては少ないが、ここ七、八年子供は小遣いや駄賃をもらうことは無

くなっていただけに、この金は大部分、祖母の生きている頃のものだと由良子には思えた。

家に一つだけしかない蟇口《がまぐち》は当然猶子が持っており、由良子は二十銭を稽古用の帛紗《ふくさ》に包んで固く縛って懐に入れ、毀《こわ》れた擬宝珠はかけらごとまた袖のなかに隠してもとの箪笥の曳出しにそっと蔵《しま》った。これだけの作業を、人に気付かれず落着いてやることの出来た自分を、もうひとつの自分が感心して見ている感じを抱きながら、三人で朝の粥を啜《すす》ったあと、いつものように着物を裾短かに着、山行きの道具を入れた袋を下げて、

「母さま、今日はちょっと、八瀬の奥のほうへ行ってみよかと思います」

とたずねると、猶子はうなずいて、

「そうか。それはご苦労さんやな。早うお帰りやす」

と何の拘泥《こだわ》りもなさそうに送り出してくれた。

門を出ると由良子は、ひょっとして仲にでも見られ、そっちゃは方角違いえ、などといわれないため、一旦本法寺の方向へ歩き、寺を抜けて堀川通りへ出ると、誰かに追いかけられてでもいるように、七条の方向へ走り出した。行き交う人力車よりもなお早く、全速力で駈けては休み、休んでは駈けしながらようやく停車場に着いたとき、とうとう自分がいま大それた行為をしていることの空おそろしさが身に迫って来、その場に釘づけになって動けなかった。今朝の猶子のものいいの特別やさしかったこと、などと思い

出すと、あれはもしや何も彼も見抜いての上ではなかったかと感じられ、そういえば仲も、出かけるとき由良子の足もとを見て、

「八瀬ぐらいやったら、下駄でもかましまへんな。鼻緒切らさんように、気いつけておいきやす」

と言葉を添えたが、あれもこちらを疑ってのことではなかったかと思うと、いまごろになって足が震えて来る。

しかし由良子は、どれほど自責の念に苦しんでも、ここからもう引返そうとは考えなかった。実行を思い立ってから一年余、夜毎思い続けて来て、ようやっと、

「一目お会いするだけ。それだけ」

と自分にいい聞かせ、いかなることがあろうとこの戒めを破らぬ覚悟が決まったのを心頼みに家を出て来ただけに、足の震えがおさまるのを待って、やはり計画どおり切符売場へと近寄って行った。胸のうちでの猫子へのいいわけは、生みの母の顔を見、さき頃の振袖の礼を述べたら直ちに取って返し、以後は前にも増しての孝養を誓うことで許しを乞うつもりでいる。自分の気持をひたすら宥《なだ》め、落着かせ、冷静になって切符を買ったと思っていたけれど、実は何も彼も無我夢中だったとみえて、やっと我に返ったのは、窓近くに「やまざきーっ、やまざきーっ」と連呼してゆく駅員の声に、あわてて席を立ってからであった。

掌の中で汗ばんでいる赤切符を改札口で渡し、駅舎の外に出ると、あっと思うほどの近さで、すぐ左手に「妙寿庵」の扁額《へんがく》のかかった表門が見えた。由良子はすぐに入らず、すこし距離を取ってその建物を眺めながら、とうとう来てしもうた、と深い吐息を吐いたが、それは決して悔いではなく、むしろ嬉しい期待であった。

ここは背後に山を負うた高みにあり、駅の真向いの坂を下りてゆけばほどなく淀《よど》の川べりに出るという景勝の地で、耳を澄ませば山の小鳥の囀《さえず》りに混って、川波の音、せせらぎの音も聞えて来るような気がする。このうちに住む母さまはいったいどんなお顔をしておいでやろ、突然訪ねて行った私を喜んで迎えてくれはるやろか、と思うと胸は高鳴り、入口の腰高障子を開けようとする手はまたもやふるえている。由良子の訪《おとな》いに、

「へえへ」

と応じて現われたのは、白髪の老婦人で、由良子は、「父さまは」と問いかけてあわてて訂正し、

「後之伴家の恭又斎《きようゆうさい》さまはおいでですやろか。京都から由良子が参りました、とお伝えしておくれやす」

といい、老婦人が引退ったちょっとの静寂のあいだ、玄関の板間、四帖半の座敷、蹴《け》込《こみ》床の掛物など塵《ちり》もとどめぬ様子を見廻し、きれいにして暮してはるんやな、と思った。

まもなく足音がして現われたのは、当の恭又斎で、四帖半の敷居際に突っ立ったまま、

大きく目を見開き、

「由良子」

と呼んだきり後が続かず、父娘は互いにしばらく声が無かった。

由良子はここへ辿《たど》り着くまで、頭のなかは母親のことでいっぱいで、恭又斎のその後の変化を思いみる余裕は無かったけれど、指折ってみれば最後に会ったのは隅倉を継承のとき、二尊院の法事の催しだったから、以来四年ぶりという久しい邂逅《かいこう》になる。

「大きなったなあ」

と恭又斎は首を振りながら感嘆し、

「さ、さ、こっちへおいでやす。なんでまた俄《にわか》に」

と呟きつつ由良子を案内したのは、玄関から二室を通り抜け、庭に面した四帖半の茶室であった。

由良子は首をかしげて耳を澄まし、この家のどこかにいるであろう母の気配を少しでも知ろうとしたが、境内はしんと静まり返り、耳に届くようなもの音はしなかった。一別以来、家のうちには大きな変化があり、それを話し合うよりも先ず、恭又斎は心急《せ》いたふうに、

「なんぞあったんか。誰のお使いえ？」

と糺《ただ》し、首を振る由良子に膝をすすめて近寄り、

「隠さんかてよろし。ほんまのことというとおみやす。さあ」

と促した。

由良子は、昔と少しも変らぬ恭又斎の顔をまじまじと見つめていたが、胸のうちに膨《ふく》らみ切ったものが弾けるように、両手をつき、

「父さま、私はほんまの母さまにお会いしとうて、家には内緒で、一人で汽車に乗って来ました。どうぞ母さまに会わしとおくれやす」

と頭を下げた。

その瞬間恭又斎の顔はくしゃくしゃに歪み、懐からあわてて出した手拭いで顔を掩《おお》い、しばらく無言であった。何かに懸命に耐えてでもいるかのように、黒い麻の十徳を着たその両肩はかすかにおののいており、やがてその手拭いで顔を拭うと、

「そうか」

と深くうなずき、思い切ったように、

「ほな、会わせたげよな。こっちいおいない」

と立って由良子をいざない、広縁のついた六帖と十二帖の部屋を通って連れて行ったのは、灯明のゆらめいている小暗い奥の仏間であった。

訝《いぶか》しげにおずおずとついて来た由良子が坐るのを待って、恭又斎はいちばん前の位牌《いはい》を指さし、

「寿峰院松操妙伊大姉、これがお前を生んだ母さまのいまの姿どす」

と悲しい声で告げた。

由良子は咄嗟《とっき》に呑み込めず、うろたえながら、

「そんならあの父さま、母さまはもう」

という疑いに、迷いなく恭又斎は応《こた》え、

「そのとおり、母は今生《こんじょう》を去ってただいまは西方浄土におわす。呼べど帰らぬ。泣けど帰らぬ」

と悲痛な声音でいい、位牌に向って重く頭を垂れた。

たったいままで期待に胸を躍らせていた由良子は、この一瞬からたちまち千尋《せんじん》の谷に突き落され、あまつさえ煮え湯を浴びせられる心地で胸も張り裂けんばかりの悲鳴に近い声を引いて泣き伏し、畳をかきむしりながら絶叫した。

「嘘《うそ》、嘘、そんなこと信じられへん。母さまはここにおいやすはずどす。会わして、会わして、すぐ会わして」

と、それはずっと、おとなしい子や、素直な子や、といわれ続けてきた由良子の、奈落の底であがき、のた打つ赤裸々な悲しみの姿というよりなく、恭又斎はいたわるようににじり寄り、

「落着きおし。ほんまに母さまはこれや」

と仏壇から位牌を取りおろして胸に抱かせようとするのを由良子は振りほどき、激しく首を振りながらそれを見まいとし、

「母さまはこんなもんにはなってへん。生きといやす。たしかに生きといやす。私の会いに来るのを待ってるていわはった。夢に出て来て何度も何度もいわはった」

となじり、怒り、逆上する由良子を、恭又斎はとどめるすべもなく坐ったまま眺めるだけ、その頰にも熱い滴《しずく》が伝い、あごから幾筋もぽたぽたとしたたって膝を濡らしている。

第五章　宗匠帰洛

涙下るを指して流泉という、と教えてくれたのは誰だったか、世にこれほど悲しいことも二つとあるまいと思えば、流泉のように涙あふれて流れ、由良子はしゃくり上げながら泣き続けた。その背を撫《な》でさするより他、慰めるすべもない恭又斎《きょうゆうさい》自身も冷たい涙を流しつづけていて、そのうち、ジジ、と音を立てて灯明の尽きたのを機《しお》に仏壇ににじり寄り、位牌を正し、新しい灯《とも》しを上げてから、

「由良子、お前の母さまがこの妙寿庵におわすということを、誰からお聞きたえ」

とたずねた。

誰にも聞かしまへん、父さまが家をお出にならはるときの談合で洩《も》れ伺いました、と涙を拭《ぬぐ》いながら答えると、恭又斎は深くうなずいて、

「ほんまいうたらな。お前は何も知らんなりで一生送れたら、それがいっちしあわせやないかと思うてましたんや。後《うしろ》の家のもんも皆そう考えたからこそ、誰もお前には何も教えなんだん違うやろか。

もはや位牌の母と対面したからには、亡きひとの冥福《めいふく》を祈り、いまの母さまへしっかりと孝養尽すのが、育ててくれたひとへのご恩報じというもんや。由良子、得心でけたらな、今日はこれでお帰りやす。遅うなっては不審に思われるやろ」

そう諭す恭又斎の顔をじっとみつめ、由良子は、親に言葉を返す不孝は重々知っていても、いわれるとおり今このまま、帰ってしまうことは出来ぬと思った。

「父さま、ここまで訪ねて来た私に何でそないに隠さはるのどす？　おたずねしては悪いことが何ぞおすのどすやろか。私ももう十七になってますさかい、父さまのいわはることはたいてい判るつもりどす。母さまのことどうぞ教えとおくれやす。お願いどす」

「さ、その十七やけど、本人は大人のつもりでいてても、世間のことはまだ何も判らへん。京に生れた人間が一人前になるちゅうことは、ものの察しがようなるちゅうことや。世のなかには、暴《あば》いてはいかん真実というもんはいっぱいある。

お前もいまに連れ添うひとでも出来たら、わしの口から詳しいに話さんかてその辺り察しがつくようになりますやろ。長追いはおやめやす。自分が苦しいだけどすえ」

という含みのある言葉は、いわれるとおりまだ由良子には判らず、納得でき難いまま、

また新たな涙もにじみ、

「そんなら父さま、せめて母さまのお名だけでもお明かし願いとおす。御魂《みたま》を拝ませて頂きとうおっさかい」

と懇願すると、恭又斎は立って居間から硯筥《すずりばこ》と料紙を運んで来、戒名を写し取ったわきに、俗名いよ、明治十七年十一月十一日没、行年三十一歳、と書いてそれを由良子に与えた。

母さまのお名は戒名の中に伊の字が見える「いよ」、亡くなられたお年は三十一、と由良子は料紙を押し戴き、二つに折って懐に納めると、気のせいか胸がほかほかとあたたかくなったように思えた。今日からは母さまがここに住みついてくれはる、と胸を押さえると、それは何ものにも勝る強い味方のように思えるのであった。久しぶりの邂逅《かいこう》ではあっても、血の通い合う父親とは親しいもので、急いで帰りや、いいつつも恭又斎は薄茶を一服、由良子に振舞い、停車場まで送ってくれた。

山を背にした山崎の駅舎、昔、豊臣秀吉の袖が触れたところから名付けられたという妙寿庵の庭の袖摺《そです》りの松、そのあいだから見下ろす眩《まぶ》しいほどに輝いていた淀川の流れ、松のかたわらには利休の建てた躙口《にじりぐち》の広い待庵があり、釜の懸っていた茶室は、恭又斎の居間として新しく建てられたものだという。これらを、汽車に揺られながら由良子はひとつひとつ瞼《まぶた》の裏に呼び戻しつつ、ふしぎに、さきほど母の死を知らされたときの、ほとんど惑乱せんばかりの悲しさは、薄らいで来ているのに気がついた。

往きの汽車では喜びのあまりすべてが上の空だったが、いま長い春日の午後を逆に戻りながら何故か気分は落着いている。どんなに悲しんでも、会いたいひとは十万億土の果て、というあきらめもあろうけれど、何故か父親にいわれた、世のなかには暴いてはいかん真実もある、という言葉に頭を撫でられ、胸を宥《なだ》められた感じがあった。一体、いよさまはどこの出でどんな事情でこの寺に入ったのか、どんな経緯を経て自分が生れたのか、何故子を後之伴家《うしろのばんけ》へ渡さねばならなかったのか、不審はいっぱいだし、何よりも、明治十七年没とあれば、恭又斎が隠居してここに住みついた年の前年に当り、そうすると恭又斎はいよ亡きあと、一年も経てから伴家を出たことになる。何故、どうして、と疑問は募るけれど、十七の頭のなかでは推量は及びもつかず、いまに判る日を気長く待とうという気も起きて来る。

妙寿庵から帰った由良子は、亡き母さまのご守護、と思えるほど覚悟が据わって来、以前のようにともすれば身の上を悔むこともほとんど無くなり、いっそう柔順になったようであった。いまの母さまへのご恩報じ、と恭又斎にいい聞かされたこともあろうけれど、いまこの三人だけの家で、暮しの責任は次第に由良子の肩ひとつにかかりつつある。というのは、鷹《たか》の目の鋭さを備え、永遠に牢固《ろうこ》たる体の持主だと考えられていた仲秀保が、春の頃からときどき座敷で横になっているのを見かけるようになり、声をかけるといっときは気を張って起上って見せるものの、やがて夏になると、もはや頭も上らぬほどになってしまった。かねてより、茶の修行で鍛えたからこれや、と弟子たちの前で胸を叩き、風邪ひきはおろか、幾晩寝ずとも七事式を間違えたりはせえへん、と誇っていた身でも、重なる心労もあってかとうとう病いに勝てなかったものでもあろうか。仲が寝ついてしまえば女二人はたちまち困り、猶子《ゆうこ》は最初のうち、仲の寝ている玄関の間を覗《のぞ》いては、

「起きられへんかいな。ためしにちょっとだけ起きてみたらどうえ」

と声をかけていたが、答えは苦しそうなうめき声ばかり、容易なことでは臥《ふ》せらない仲のことなら、容体はかなり重いと見なければならなかった。

恭又斎隠居の前から、ほとんど売り食いで支えて来た家だけれど、いまになって振返れば以前はまだまだ余裕があったと思われ、ここに至ってもはや万策尽きたという気がする。困ったなあ、どうしようかなあ、と母と娘が口に出して相談しあったのは昔の話、しんじつ困れば声も出ないもので、猶子は終日黙り込み、由良子は暇さえあれば家のまわりをうろうろとほっつき歩いた。人にはいえないが、道ばたにひょっとして一厘銭でも落ちていいひんやろか、いやいやお銭とはいわへん、大原辺りの青物売りが菜っぱの切れ端でもこぼしてたなら、それだけでも有難いこっちゃ、と目を皿のようにしながら歩いているうち、由良子はとうとう一つの決心を固めざるを得なかった。それは、亡き

祖母の押入れからひそかに持ち出し、隠しておいたあの波に千鳥の小さな利休形の茶箱で、よくもいままでみつからずに永らえたものだと思えるものの、これについては由良子なりのひそかな執着がある。

茶箱を由良子が見つけたのは決して偶然とは思えず、祖母が自分のために残してくれた形見だと考えていただけに、如何《いか》に困ってもこれだけは生涯かけて持ち続けようと一念込めていたところがあった。それに舜二郎《しゅんじろう》は、同年の心やすさで由良子にはあっさりと、

「姉さま、なあ。家がどないに困っても、俺と姉さまはしまいまで付合わんならんことないえ。兄さまは後継ぎやさかい、母さまが皆で心中しようというたら逃げられへんけど、我々はそこまで責任はないと思うえ。いざとなったら荷作りして、先に夜逃げしてもかめへんのや。そのつもりでいてたらよろしがな」

と、ときどき首をすくめながら由良子に吹き込み、由良子はそんな舜二郎をいけず、とたしなめながらも、もしそういう日が自分の上にやってくることがあったら、いちばんにあの茶箱を持って逃げよう、と漠然と考えたときもある。

現実には舜二郎も気楽には逃げられず、大徳寺に入れられてしまい、由良子もまた、この家にしっかりと身柄を縛りつけられ、病人と家つき娘の二人を背負わされてしまった感がある。もとよりそれを嫌だなぞとは考えないが、いままで我慢は得意でも、自ら

の手で金銭を得たことはなかっただけに、この決心は崖《がけ》から飛下りるほどの思いがする。

夜の更けるのを待ち、そっと通い門を出た由良子は、胸に抱えた茶箱をどこへ持って行ってよいか判らず、とうとう賑《にぎ》やかな丸太町通りまで下って、一軒の道具屋をみつけ、その店先に立った。道具屋を思い浮べるまでには、近くの西陣の機屋《はたや》へ行って頭を下げ、下働きなりと使ってもらうことも頭に浮んだが、「落魄《おちぶ》れても、うちは利休さんの末裔《まつえい》」と弟を諫《いさ》めた兄の言葉も耳に貼りついているし、また昨今の西陣の不況も聞いていれば、迂闊《うかつ》にその門は叩けなかった。なるほど、丸太町へ辿《たど》りつくまでのあいだ、うろついた西陣の町には、夜なべの機《はた》の音は絶えているばかりか、灯もほとんど見えず、暗く静まり返っている。

困ってるのはうちだけやないかも知れへん、と思うと、勇気も湧《わ》き、それでも親爺さんから、

「お使いどすか？　おうちの方、なんぼ欲しいていわはった？」

と聞かれても赧《あか》くなるばかり、ものの値については まだ何も判らなかった。

親爺さんの裁量で五十銭銀貨ひとつ渡され、それがこちらを子供と見た値なのか、或は気張ってくれた価格なのか知らないまま、それで米屋の戸を叩いて二升の米を買い、胸にしっかりと抱いて帰りながら、由良子は、自分が急に大人になったという感慨を持った。胸三寸で思案し、一人で道具屋とかけ合い、そして工面した米でしばらくは家も

うるおう、と思えば、こんな有様を忘れて、心は何やらうれしくなる。しかし母さまにどういうて茶箱のこと、打明けよう、と一方で案じながら戻り、翌朝、久しぶりに米粒の多い粥《かゆ》を差出したところ、猶子は何もいわず、黙って啜《すす》っただけであった。褒めてもらえるか、叱られるか、と心で占っていただけに、いたく拍子抜けしたが、考えてみればこれは猶子の、

「台所のことは、台所預かる者が心配しおし」

という、暗黙の指示かも知れなかった。

もうひとつ踏込めば、

「こういう働きをして欲しと思えばこそ、お前を妙寿庵へ渡さなんだのえ」

とも、

「それが義理ある親への孝行の道え」

とも受取れなくもないが、或いはまた、由良子に問い糺《ただ》したら問い糺したで、つらい噂も聞かねばならぬ故に、わざとそしらぬ顔をしていると考えられなくもなかった。

猶子の無言に対し、由良子は心のうちで、母さま判りました、と答え、以後は、せめて三人、飢餓地獄に陥らぬよう、知恵のありったけを絞って気張ってゆかなければ、と思うのであった。こうなれば家の羽目板剝《は》がしても、屋根瓦外しても、命は繋《つな》いでゆかねばならず、由良子は家中の簞笥《たんす》の裏まで漁《あさ》って金になるものを捜すのであった。文吉

や猶子が売払うものは、少しまとまったものでなければならないが、由良子が袂《たもと》に隠して運ぶものなら、ふだん使いの煙草盆から薬罐《やかん》、手鏡のたぐいでもよく、由良子は飯茶碗さえ持って行こうと考えたこともある。分別のある大人なら、とうてい差出せぬ代物を、まだ世智もない若さだった故に、ほとんど奮迅の勢いで丸太町へと通ったところがある。

狭い京の町のことではあり、道具屋の親爺も、事情はじき見抜いたと考えられるが、由良子の健気《けなげ》さを買って、ときには五銭十銭などの低額にしかならないものでも、嫌な顔をしないのは有難かった。由良子はいく十年かの後に、もしこの頃、自分が世間摺れしていて、辻に立って体をひさぐ方法でこの場を凌《しの》いだとして、それを猶子が知ったとしても、必ずや何もいわず、黙ったまま、その代償で購《あがな》った粥を啜るであろうと思った。決して猶子を誹《そし》っているのではなく、茶家の正統を継承して来た人間は、それだけ不壊《ふえ》の矜持《きょうじ》を保ち続けているのだと理解しているからであった。餅《もち》売りや、機織りなど、世間の目に止まる仕事をしてはならないが、暮夜ひそかに、誰にも知られぬよう娼婦の真似をしても、悠然とその奉仕を受けるのが、この家の家長としての資格だと思えるのであった。

由良子が台所の工面に頭を悩ませるうちには、ときどきあの妙寿庵の、小ぎれいに暮していたさまが頭に浮び、また汽車に乗って無心にゆけば、きっと小銭くらいは持たせてくれるに違いないという確信はあったが、それだけはどう迷っても猶子にはいえないし、またひそかに実行してもならなかった。これほどまでの零落を、猶子は家を捨てた夫に決して見せたくはないと思われ、一人居のときなど、きっと血のにじむほど唇を噛んでは忍び続けているであろうことは由良子にも判る。

仲の病いは、医者に診せることも叶《かな》わぬまま、気力で保《も》ちこたえているのか、深くは落ち込みはしない状態が続いている。由良子は毎度粥を運んでやるだけで他にすべはないけれど、猶子は暇さえあれば枕許に坐り、仲を力づけ励まし、ときには泣いて何かを訴えている様子を、由良子はいく度も耳にした覚えがある。身分は業躰《ぎょうてい》でも、このひとはもはやこの家の蔭の大黒柱であるだけに、またもとのように元気で働けるようにと、一日も早い恢復《かいふく》を猶子も朝夕、神仏に祈念しているらしかった。

あとから思えば、それ以下はあるまいと思える生活でも、当の人間にとってみれば何とか過していられるもので、文吉が上京して三年目の明治二十七年が明け、寒い小正月の日であった。由良子は、竈《かまど》のあとの熾《おき》を十能に入れて火鉢に埋め、土間に下りてから、被《かぶ》っている手拭いで膝を払ったついでに台所口の腰高障子を開け、空を仰いだ。鉛いろの空からは、綿虫が湧くような雪がちらちらと舞い下りていて、

「寒いはずやわ。雪やもん」

と呟《つぶや》いて戸を閉めようとしたとき、ふと門の外に訪《おとな》う人の声を聞いた。

もう長いあいだ、閉じ目に苔《こけ》の生えるほど兜門は閉め切っており、由良子はしばらく躊躇《ちゅうちょ》していたが、近寄って行って通い門の枢《とぼそ》を落した。そこに立っていたのは、見馴れない黒い詰衿《つめえり》の服を着たひとで、ここが後之伴家であるのを確かめた上で、咳払いし、

「小生は、この先の土手町通丸太町下《さが》ルの旧九條家邸内にありますところの、女学校の教頭であります。真鏡院様とやらはご在宅であられますやろか」

といかめしい口調で取次ぎを頼まれ、由良子は咄嗟《とっさ》に、この頃掃除もしてないし、障子も襖《ふすま》も破れている座敷ばかりのどこへお通ししたらええのやろか、とうろたえたが、とりあえず玄関まで案内した。その露地も枯草に掩われ、霰崩《あられくず》しの敷石さえも見えなくなっているのを振返る余裕もなく、客を待たせておいて隠居所の猶子の指図を仰ぐと、炉に火はなくとも、寄付《よりつき》に見立ててある有色軒《ゆうしきけん》へお上り頂くように、という。

そういいながら、蓬髪《ほうはつ》のまま襤《ぼ》褸《ろ》綴りをしていた猶子もあわてて身繕いにかかれば、由良子もまた、この雪空に火鉢か、茶か、とあたふたし、何はともあれ薬罐に湯を沸かし、ありあわせの茶碗に抹茶を入れてかきまぜ、古帛紗《こぶくさ》に載せて運んでゆくと、見違えるほど凜《りん》とした姿勢で客と向き合っている猶子は、ゆったりと由良子を見やって、

「業躰たちは、もうしばらくここでお稽古してまへんな。炉が冷え切ってる。あっちゃの釜懸けてあるお部屋へご案内したらもっとあたたかやったのに」

といい、由良子はそれを受けて深く頭を下げ、

「申しわけもございません。あっちゃはただいま多勢さんお稽古中でございますさかい、むさくるしいかと思いまして」

と詫びて見せた。

茶の間へ下ると、自分もやっぱりこの家の子やったな、とふと可笑《おか》しくなり、声を殺してひとりで笑った。詰衿服の客の話はよい知らせであったらしく、続いて茶の間に入って来た猶子の顔には久しぶりで喜色が漲《みなぎ》っていて、珍しく多弁に、

「九條さん跡の女学校ちゅうのはやな、昔、新英女学校女紅場ちゅうてた学校や。何とかイヴァシスさんちゅう外人さんのご夫婦が始めたそうやさかい、ハイカラなことばっかり教えるのかと思うてたら、今度茶儀科をこしらえて、生徒さんに日本風の躾《しつ》けをしやはるのやて。これからは週に二回、教えに上らしてもらうようになったのえ」

と打明けた。

何と嬉しいこと、これでもう丸太町の道具屋へ走らいでもええかも知れん、と由良子は心中呟いて喜び、猶子もすっかり満悦のていで、

「ようようお茶の有難味が世間のひとにも判って来たところやな。よかったな」

といいつつも、声をひそめ、

「しかしやな、由良子。あんまり嬉しがるのも慎しみがないちゅうもんや、向うから頭下げて来たんやさかい、こっちゃは大きい構えてな」

と耳打ちする様子など、由良子がかつて見たこともないような猶子の浮いた姿であった。

女学校への出張教授ともなれば、身装《みなり》もととのえ、稽古用の新しい茶道具も用意しなければならないが、そこはよくしたもので、目先に金の支払いの確証がぶら下っていれば、どの商人でも融通をつけてくれないことはなく、猶子がいかにも茶家の後室さんらしく、切下髪に被布、新しい白足袋を穿《は》いて女学校に通うようになったのは二月に入ってからであった。

嬉しいのはこればかりでなく、ようやく家に光明が差しはじめたんや、と猶子がいったとおり、女学校校長の仲立ちで、昔得々斎《とくとくさい》が手ほどきをしてさし上げたという、現皇太子妃貞子の生母、九條幾子の邸にも上ってお相手をするようになった。

そして四月一日、由良子はこの日のことは死ぬまで忘れないと思っているが、その朝、猶子が身繕いしながら、

「今日はおついたちやなあ。久しぶりに赤御飯炊いて仏さんにお供えしたいけど、どこぞに虫食いでもええ、小豆残ってへんなんだかなあ」

と呟いているのを聞き、子供の頃、祖母がお手玉《ななこ》を縫ってその中に小豆を入れながら、

「おもちゃにするもんの中へ大事な豆さん入れるの、もったいない思いますやろ。けどこれは、一つには飢饉《ききん》の年の備えにもなりますのえ。しけや旱魃《かんばつ》の年、生《な》りものが皆取

れへんときに、これ解いて中の豆さん頂きますのや。そやさかい、よう覚えときよし」

と教え、それが真実かどうか、実際に袋の中身を取出したこともないため判らないが、猶子にいわれてみると、由良子は試してみる気になった。

いったい、お手玉《なこ》をいくつの齢《とし》に縫ったやら記憶も遠くなっているほどだけれど、一つ一つほどいて盆に開けてみると、小豆は有難いことに虫もついていなかった。よく洗って土鍋に入れ、火鉢のとろ火にかけて煮てみると十分ふくらみ、昼すぎにはこの家にもいく年目やらというほど久方ぶりの赤御飯が炊けたのであった。小皿に分けてまず御《おん》祖《そ》さまに、次には神棚の埃《ほこり》を払って豊受《とゆけ》の大神《おおみかみ》、八百万《やおよろず》の神々へと順に祀《まつ》っているとき、由良子は門の外に人声を聞いた。格別騒がしくはないが、しかし一人二人の気配ではなく、少なくとも四、五人ほどの声と思われ、由良子は吸い寄せられるように玄関に出、下駄を穿《は》いて兜門の手前に立ち、外の様子を窺《うかが》った。

見れば門の、内側からの閂《かんぬき》が外されており、おや、と目をこらすと、門は外側から開けられようとしていて、揺すりながら、

「銹《さ》びついてるのや」

「いや、金気やおへん。苔どす」

「えらいこっちゃ。土も詰まってる」

と、聞き覚えの声とともに、やがて濛々《もうもう》たる土埃をあげながら、屋根の上に思うさま

雑草をはびこらせている兜門の扉が、ほとんど三年ぶり、きしみながらも左右に大きく開かれた。土埃の向うに立っていたのは、声を聞いてもしや、と胸騒いだ文吉円諒斎《えんりょうさい》、益子が手を引いているのは市子、そして背中に一人負うており、かたわらに不秀《ぶしゅう》という、総勢五人の東京から帰還であった。

何の先触れもなかっただけに、このときの由良子の驚きと喜びは何にたとえてよいか知れず、思わずその場に崩折れてしまい、駈け寄ってそれを助け上げる円諒斎も目に光るものを浮べている。不秀はいち早く家の内に駈け入り、猶子に報告、仲に挨拶、そして一同茶の間に落着いて、何より役に立ったのは小豆御飯であった。久々の朔《さく》の祝に重なって、往きは三人、帰りは五人に増えた旅の家族も無事帰着で何より目出度く、一別以来の双方の話は積もり積もって緒口《いとぐち》さえみつからぬ。皆涙を浮べ、お互いの無事を喜び合ったのち、円諒斎から何よりも先ず、

「市子の二年あとに昌之助が生れました。これで我が家の十四代の懸念はもうおへん。そして益子はごらんの通り、もう安心どす」

と披露し、そして突然戻った理由としては、

「北家の方々にずいぶんお世話になりました。知らん土地では、人の情が格別身に沁《し》みますなあ」

といいつつ、かいつまんで語ったところによると、上京した円諒斎は、北家と縁続き

のひとびとの邸に先ず挨拶に上り、東京に進出して茶道の振興をはかりたいとおもむきを告げ、ついては格別の助力を賜わりたいと懇請したが、これに対する反応はすこぶる頼りないものであった。世が明治と革《あらた》まって未だ二十年余、東京はいま新生日本を作り上げるのに懸命で、円諒斎が熱心に、

「茶は遊にあらず藝《げい》にあらず道なり。道を忘れる者は日本の心を忘れる者なり」

などと説いたところで、この節そんな悠長なことに関わってはいられぬ、というのが時代の趨勢《すうせい》なら、礼を取って弟子入りしようというひとのいないのは当り前かもしれなかった。

それでもこの麻布我善坊の家は、先々代得々斎の実家、松平家の縁につながるもとの松山藩松平家が下屋敷長屋の一間を融通してくれており、他に子爵の七鬼家、牧田家などは北家への義理もあり、かたがた倉のなかの茶道具を眠らせておくのも勿体なく、円諒斎に茶道具の手入れを頼んだり、また、ときには点前《てまえ》も習い、なにがしかを包んで布施ともしたし、また多少なりとも茶道に縁のある宮家へは、紹介の労も取ってくれた。円諒斎が参上した宮家には北白川宮、小松宮があり、なかでも北白川宮能仁親王は円諒斎の茶道振興に賭《か》ける情熱のほどを嘉《よみ》して、

「人格圓諒《えんりよう》
心中鋼鐵《こうてつ》」

の色紙を賜わり、円諒斎はこれを機に正しくは鋼心円諒斎と名乗ることにした。

しかしたったひとりで徒手空拳《くうけん》、どんなに武者奮いしてみても、受入れ側にその気がなければ緒にもつき難く、始めのうちこそ縁戚の付合いをしてくれていた家も、面会許可は次第に遠退《の》いて行くようであった。それでも円諒斎は気力をふるい、玄関払いを覚悟の上で根気よく通っているうち、親戚中では何事につけ強硬派と恐れられている海軍中将の斎藤勲が一日、円諒斎を自室に通し、

「君は打ち見たところ、五体強健にして立派な若者だ。この節、いい若い者が茶道興隆などに打込むとは少し軟弱すぎるとは思わんかね。茶のみちも決して悪くはないが、もっと齢を取ってからでも遅くはないだろう。若い君ならば他に進むべき道はいくらもあるはずだ。いまの日本はあらゆる分野で人材を欲しがっている。いまなら私も、君の望む方向へ加勢することは出来る。どうだね、伴《ばん》君。いままでの君の教養を生かしてさしずめ学問の道へでも入ったらどうだろう。君には向いていると思うのだが」

と懇々と説き、円諒斎の目標の転換を求めた。

学問の道に入るとは具体的に何を指すのか知れないが、いまを時めく海軍中将が請合ってくれるならば、こんな他国で寒空にちびた下駄をひきずり、人の袖にすがらねばならぬいまの淋しい暮しからは一挙に脱け出すことはできる、と思えたが、円諒斎は学問の手段について聞き返すまでもなく、その場で断った。

「お気持はほんまに有難く、嬉しゅうございます。が、不肖円諒斎、年は若うても、後之伴家の家を興すべき使命を担うて生れて来た運命でございます。志のためにはこの命ひとつ落しても決して惜しいとは思うておりません。軟弱でありましょうと、古くさいと思われましょうと、やっぱり私はこの道を歩いてゆきたいと考えております」

と、精いっぱい気張って思いのたけを披瀝《ひれき》すると、中将は「そうか」と腕を組んでいたが、やがて、

「伴君、君は意外に見どころがある若者だね。子供のままごとみたいな真似をして茶を飲んでいるばかりかと思ったら、しっかりとした骨がある。よろしい。わしも君のために一肌脱ごう。だがしばらく待ち給え」

と含みのある言葉を贈られ、その日円諒斎は礼を述べて中将邸を辞した。

しかし半年経ても一年過ぎても中将からは何の呼出しもなく、ほんの数えるほどの知人の邸を訪問しては、その好意で最低の生活を支えるうち、長男昌之助も誕生し、口は増えるばかりでも、先の見通しはなお立たなかった。もとより上京は十分な成算あってのことではなかったし、東京の茶道界へ後から割って入ることの難しさは覚悟していたものの、もはや三年に近い年月、何の曙光《しょこう》も見えないでは、ときにふと捨て鉢な気持にもなり勝ちなのを、いつも瀬戸際でとどめてくれたのは家族の存在であったという。

東京で三度目の淋しい正月を迎えたあと、或る日思いがけなく老分《ろうぶん》の毛野秀古差出し

の厚い封書が届いた。毛野は手広く生糸問屋を営んでいたその父親の時代から老分となり、後之伴家の経営については長いあいだ物心両面の援助をして来たひとだけれど、得々斎が他界した辺りからそれを手控えるようになり、猶子はときどき、円諒斎相手に、「何のための老分え。傾いた家を倒れんよう、しっかり支えてくれるためやおへなんだんか」

と腹を抑えかねたふうに洩らしていることもあった。

円諒斎の上京については無論毛野に相談も持ちかけたし、暇乞いにも行ったのだったが、通り一ぺんの挨拶と、なにがしかの餞別《せんべつ》を握らせてくれただけであった。その毛野からいまごろ何ごと、と巻紙をほどくと、一別以来の無沙汰の詫びのあと、

先般、海軍中将斎藤勲様より私の友人、小島重義宛てに御書状これ有り、家元円諒斎様の茶道に賭ける情熱と真摯《しんし》なる態度に心より感服遊ばされ候おもむきにて御座候。ついては、後之伴家再興のため、斎藤中将全面のご後援ご助勢を惜しまずとの由仰せられ、さし当って先ず京都の地より発揚を計るべく、万端よろしく頼むとの懇ろなるお言葉を賜わり候。

小島重義一日私宅に来り、談合の結果、後家《うしろけ》老分たちとも相計り、何はともあれ家元宗匠に東京よりお戻り願うべく、一同に代りここにお願申上候。なにぶん書状にては委細尽せぬところもこれ有り候えば、当地にて久々お目もじの上、後の事、ご報告申上ぐ

べく候。

としたためられてあった。

円諒斎はかたわらの不秀に書状を渡しながら、

「召し状か、ご赦免状かというとこやな。京都へ帰っても吉か凶か、まだ判らへん」

とためらい、不秀は逆に、

「いや悪いようにはならへん思います。ご家老さんが揃うてご帰城願うてるのどすかい。ここは思い切って、老分さんの勧めはるとおり、東京引払うて帰らはったらどないですやろ」

と帰洛《きらく》の意見を述べた。

短い手紙で事情はよく判らないが、どうやら意気に感じた斎藤中将が、呼び水の意味を込めていくばくかの寄進額を京都に送ったらしく、それが刺激となって老分はじめ、後家に縁あるひとびとが動きはじめたという気配は感じられる。円諒斎にすれば、御祖以来の上方を捨てて東京へ打って出た以上、素手では帰れぬ思いもなきにしもあらずだけれど、三年この地で戦っても実《みの》りを見なければ、ここは不秀もいうとおり潔《いさぎよ》く引揚げるべきかも知れなかった。

と、ここまで円諒斎は報告し、

「帰るなら手紙も出さんといきなり帰って、母さまを驚かせてあげよ、思いましてな」

といえば、不秀も、

「帰るなら兜門から堂々と帰りたいといわはりまっさかい、私無断で先に通い門から中に入り、門外しておいて外から門を開けましたんどす」

と言葉を添えた。

長い円諒斎の話のあとに猶子も告げるべき変化があり、誰も訪う者の無かったこの家に、つい先頃から女学校の茶儀科指導の仕事が入って来ていることをいうと、円諒斎は考えていて、

「どうやらそれも、斎藤様からのおいいつけやおへんやろか。あのお方は軍人さんでも、ずいぶんお顔のお広いお方らしおっさかい」

と推察したが、それはほぼ的中しているらしかった。

思うほどの成果を挙げ得なかったにしろ、古くから馴染んだ京都の地にようやく戻って来た円諒斎の顔付きは、心なしか子供の頃のように和らぎ、それを嬉しそうに眺める猶子も、久しぶりに母親の顔付きになっているように由良子には思えた。家のうちがいかに乏しくても、家族一堂に揃えばこれほど頼もしいものはなく、その夜は子供二人のことを中心に、話はいつまでも尽きなかった。そして翌四月二日、円諒斎はまっすぐに毛野宅におもむき、ここでまた、よい知らせを聞いた。

老分毛野秀古は、早くに店を息子に譲り、自分は御室川《おむろがわ》のそばに茶室のついた居宅を建てて悠々の日を過しているが、隠居のわりに年はまだ若く、この頃五十代の後半ではなかったろうか。

亡き得々斎が向庵《こうあん》と名付けたこの茶室は、秀古の先代が堀内家の長生庵に惚《ほ》れ込み、ぜひともその写しを、と望んだもので、内部は利休流の二帖台目となっており、この茶室開きのときの茶会は、いまにいい伝えられるほど結構極めた催しであったという。

それだけに「毛野の道具持ち」は有名で、今日招かれた席はいったいどんな道具組みやら、と楽しみにしていた円諒斎は、茶室に通された瞬間、床に掛物のないのに気がついて、

「これは」

と、毛野を振返った。

「ま、ま」

と手を振りながら、毛野は、

「今日はすべて略式で。趣向はあとから」

と、先ず有平糖《あるへいとう》の蕨《わらび》とたっぷりした唐津茶碗に薄茶を点《た》てて差出しながら、

「宗匠にはとてもお目出度いもん、お見せしようと思てます。今日の日を私、楽しみにしてましたんや」

と、円諒斎の飲み終るのを待ち、道具を仕舞ってから一旦下り、やがて長い包みを抱いてあらわれた。

「お軸どすねやな」

と問いかける円諒斎に毛野は笑みを浮べて何も答えず、包みをほどき、中身を取出し、矢筈《やはず》を使って床の間にそれを吊下げたのを一瞥《いちべつ》するなり、円諒斎はのけぞるほど驚いて後ろ手をつき、

「毛野さん、これはあの」

と鎮まらず、毛野はうなずいて、

「そうどす。お家元の持物どしたもんどす。もう三年以上も前にお手離しやしたもんが、ここにこうしてあるのはふしぎといえばふしぎやし、京都は狭うおっさかい、何のふしぎもないていえば、そうかも知れまへんな」

毛野がまるで謎《なぞ》を解いてゆくように、わざと気を持たせていうのを聞きながら、円諒斎は何かの力でぴったりと吸い寄せられたように、その掛軸から目を離すことは出来なかった。軸は正しく、開祖以来の年月、後之伴家《うしろのばんけ》の明日庵《みようにちあん》に、この家の誇としてまた証《あか》しとして掲げられ続けて来た、秀旦筆の「明日」の筆蹟に違いなかった。

円諒斎は、猶子が御祖堂の前に三人の子を集め、この軸を手離す決意をした夜のことを思い浮べながら、

「いったい、どうしてこれが此処《ここ》におすのどすやろ」

と聞くと、毛野はゆったりと膝に手を組み、

「道具ちゅうのは、相性ていいますのんか巡り合わせていうたらよろしおすのやろか、不思議な縁がおすのどすなあ。

ここ十四、五年ほど前から、家元がお手離さはる道具類について、どこからともなくいろいろな噂が流れて来てましてな。むろん全部が全部そうというのやおへん。例えば、私も二度ほど拝ましてもらいました唐物写《からものうつし》、輪花盆《りんかぼん》、これは秀旦さんが明日庵に伝えたもんを、得々斎さんが庭の古松を切らせ、それを材にして十職八代の秀哲さんに写させた溜塗《ためぬり》の品どすけど、これを道具屋から買うたおひとには必ず不吉なことが起る、ていわれてました。

当主が若死にするとか、子供が怪我するとか、またこの盆に載せた茶碗はきっと割れるとか、そやさかい、この盆は一ところに長う留めおかれしまへん。人の手から手へ渡って、いまはちょっと行方も判らへんようになってしもうてますな。

それから、花幽《かゆう》。ご承知のように長年使い込んでるうち浮んでくる釉《うわぐすり》のむらやら茶染みのことどすな。この花幽がはっきりと出た井戸とか粉引とか萩《はぎ》とかの茶碗を買うたおひとにも祟《たた》りがあるちゅう風聞どす。

つまり、後之伴家の方々が昔からいつくしんだ道具には魂がのり移ってる、て恐がる

おひともおいやして、お家元から払われたお品は、値打におまけがついてえらい高値で売買いされることもあれば、反対に二束三文で引取ってゆかれるおひともおいやすそうどす。十職さんのようなお作も、どないによう出けたもんでも脇作、脇窯には何の障りもないていいまっさかい、ま、ええもんを安う手に入れるため、誰ぞが流した作り話かもしれまへん。

そこで、この秀旦さんの掛物のことどすけど、これはお家元の道具のなかでは最古のお品どっさかい、当然、いま申上げたような話がつきまとうてます。最初にこれを買うたおひとは、夜な夜な箱のなかでお軸が泣いている。気味が悪い、おそろしていい出し、道具屋にすぐ引取って欲しいて戻さはって以来、転々と廻り歩き、ようよう三年半ぶりにこうしてもとの持主にめぐり合うことが出けました。

仔細は、これもほんまに不思議な符牒《ふちょう》どすけど、東京から斎藤中将さんのおん文が小島さんの許へ届くのとほとんど同じくらいのとき、老分の宮中秀朴さんのもとにこれ持ってあらわれたんは御池通りの、山仁さんどした。中将さんのおん文を機に、我々老分は寄合いをしたんどすけど、その折、宮中さんはこれ持っといでやして、

『わし、もうほとほと感じ入ったなあ』

と首振りもって、そのときの山仁さんの口上を我々に伝えてくれたんどす。

山仁さんは、宗匠もご存知のように、家業は呉服もんどすけど、なかなかに見識のあ

るお方どしてな、

『ものにはところ、ちゅうもんがおす。茶家のご先祖が、〝ここに庵を結ぶぞよ、これが命名のしるしぞよ〟と書かはったものを、何で呉服屋の床になんぞ掛けられましょうぞ、よしんば掛けて眺めたとて、盗っ人の心地は免れられしまへん。また、いかなるご事情か知りまへんけど、これを手離さはった伴家も、これ無しではとうてい家職は成り立ちますまい、世間の信用を取戻すためにも、これはどうぞ明日庵に掛けてあげとくれやす』

と差出されたそうどす。

宮中さんはうろたえて、

『さだめし山仁さんは、万金積んでこれをお求めにならはったと思いますにゃけど、せめてその高をお明かし願えたら、のちにでも段取りさせて頂きとおす』

と申しましたら、山仁さんは手を振って、

『そんなつもりは毛頭おへん。私は伴家と何の関わりもないのやし、強いていうなら道具に対する敬意とでもたとえたらよろしおすやろか。お軸が去《い》にたがってるところへ、去《い》なしてあげるのが人間の勤めや思いまっさかいに。伴家の方々には、どうぞ私の名は伏せといとおくれやす。お軸は宮中さんが道で拾うたとでもつくろうて、もとの場所へ納めてくれはりましたら、秀旦さんへの功徳《くどく》ともなりましょう』

と固くいわはって、そのまま帰らはったといいますな。
ほんまに、有難いことやおへんか。我々老分はその話を聞いて、手を取り合うて喜びましたえ。後之伴家も、嘉祥《かしよう》がふたついっぺんに来て、これから芽が出るかも知れまへんなあ」

と毛野の話に区切りがついたとき、円諒斎はまだ夢のなかにいるようで、言葉はすぐに出せなかった。

上京を決意する前、思いあぐねて庭を歩き廻り、もはやわらび縄でからげた関守石と、破れた露地笠しか残っていない惨状に深い溜息をつきながら、そのくせ、夜になると祖父が生きていた頃の、家中輝いていた様をよく夢に見たものであった。室《へや》ごとに道具充ち、いつもどこかに釜が懸かり、耳を澄ませば釜の六音《ろくいん》といわれる魚目、蚯音《きゅういん》、岸波、遠浪、松風、無音、とそれぞれ聞き分けられ、絶えず人の出入りがあったあの静かな賑わい、夢にはそこにいる幼い自分の姿がよくあらわれたが、いま、それと同じ気持であった。

坐っているのは一帖台目の明日庵、躙口《にじりぐち》から差込んで来るやわらかい光の中で、見馴れた横書きの明日、の文字が浮び上り、その文字からは大きなあたたかいてのひらが伸びて来て、

「十三代さん、しっかりお気張りやす、わしがついてるさかいに」

と自分の肩を叩いてしきりに励ましてくれているような気がする。

人の情けのかたじけなさ、嬉しさがようやく沁々と胸に来たのは包みを抱いての帰りみち、妙心寺の前まで来たときで、円諒斎は胸に溢《あふ》れるものをせきとめられなくなり、とうとう立止り、塀のほうを向いて涙を拭《ふ》いた。毛野は、

「なんぼ考えてみても、利休さんのお導きというより他おへんどすなあ。もしこのお軸を買うたおひとが、一人でもそのまま倉の奥へ仕舞い込んでたらこうしてお目にかかることはできへなんだし、それに、どんなに経巡《へめぐ》っても、京都うちばっかりやったからこそ戻ったんどすわ。もしこれが東京なんぞへ流れて行ってたら、もう永久に迷い込んでしもてたかも判りまへんしなあ。

それにしても最後は山仁さんのお手に落ちてほんまによかった。これはすべて、伴家の徳ちゅうもんやおへんやろか」

と繰返し喜んでくれたが、円諒斎もそのとおり、何やら目に見えぬ大きな縁《えにし》の糸に引かれて、こうして三代の筆蹟は無事、家に帰ったのだと思った。

毛野のいうように、万一京都うちを経巡っているお軸をみつけたとしても、相手によっては元値の何倍もの金を積まねば返してくれぬ場合も考えられ、それを思えば山仁の好意に対して、どのように礼を述べてもこの気持はいい尽せなかった。円諒斎は、妙心寺の南門の前に立ち、御池《おいけ》の山仁の家の方向に向って頭を垂れ、心のうちで一語一語、

しっかりと呟いた。

「この御恩は円諒斎、決して忘れしまへん。晴れてご挨拶はできしまへんけど、お礼にはきっときっと、後之伴家を盛立ててみせまっさかい、蔭ながら見守っててておくれやす」

東京から呼び戻されても、無一物となった家で何から始めてよいか見当もつかなかった円諒斎にとって、看板の軸が戻ったことほど大きな励みとなるものはなかったのではなかろうか。

「私と一しょに、秀旦さんも旅から戻りました」

といいながら、円諒斎が披露したその軸を見て、家中どっと歓声を挙げ、なかでも猶子は涙とめどもなかった。

明日庵に看板が戻り、さて次は、となるとやはり以前と同じくすぐに取付くべき方策はないが、ずいぶん違ったのは家のなかの明るさであった。

円諒斎は一同の前で、

「私の方針として、この家の女は水屋仕事にのみ専念してもらい、客の前には出さへんことにします。母さまは家元に準じる師匠やさかい、今までどおりでよろしおすけど、益子、由良子はご挨拶にも出んかてよろし。そやし、稽古も一切省きまひょ。これ守って欲し」

といい渡し、それに対して猶子は三つの市子を膝に乗せたまま、鷹揚《おうよう》にうなずいて、

「ま、いまのところ改まった客もあるわけやなし、なあ」

と同意を示した。

家のうちに子供が二人増えるということは、大人たちの愚痴や嘆きや諍《いさか》いを封じるのに極めて効きめがあり、尖《とが》った気持もいつのまにか子供によって薄められ、和らげられてしまう。猶子の孫を眺める目つきは、由良子が思わず見とれるほど柔和ないろを浮べており、それは態度にもあらわれて、昔のように益子のすることなすことに目くじら立てる様子もなければ、もとより益子のほうから太い口を叩くはずもなく、二人は打って変ったようにおだやかな仲になっているのであった。が、由良子の見るところ、益子の寡黙と動作ののろさは昔と少しも変ることなく、それを見てはがゆく思う猶子の気の強さも衰える様子もないが、さすがに嫁に対して激しい言葉を浴びせかける態度は慎しんでいる。

由良子は、大人三人のひっそりしたこの家が、いま八人に増え、子供の笑い声まで聞えるようになった有様はこの上なくうれしいが、それというのも互いに別居して辛労を経たことが、何よりの薬になっているように思うのであった。以前なら、家の零落は自分以外の人のせい、と皆考えていたものが、辛《つら》い目を嘗《な》めたあとは、いま争っている場合ではない、と誰もが考え、もう二度と別居の憂き目を見たくないための努力を怠らな

い決意を抱いているように見える。

円諒斎が、「女は表へ出さぬ」といい渡したあとに続く言葉の、

「茶道はもともと男のもの、女がたしなむのは筋やないさかい、茶家としてはそれを守ってもらいます」

とまでいい詰めたら、今日まで家を支えて来た猶子を激昂させるもととなるのを十分心得てのみ下しており、それは猶子にも読み取れるだけに、この家の再出発はまず言葉の節度からという心得もできる。

また、よいことには、仲の病気も宗匠帰洛の喜びで弾みがついたのか、ときどき起上れるようになり、それを見て円諒斎は、

「舜二郎を呼び戻そ。そしたら仲もいっそう元気が出るやろ」

と、自ら大徳寺へ出向いていって、その手続きを取った。

そして舜二郎の戻って来た夜の賑やかであったこと。雑役の寺男の修行はとうてい生半可な辛抱ではなかったらしいが、昔どおりのひょうげたいい方で、

「毎日頭から水浴びせられてたんや」

といえば、円諒斎も、

「こっちかて同じや。水も氷水や。氷水かぶらなんだひとはうちには一人もいてへん」

と応じれば、舜二郎は、

「よかったなあ。皆垢《あか》落ちて。そやさかい誰もきれいになってるわ」

と大笑いし、三年ぶりのなつかしさを身内同士、胸に呼び返す。

男手が揃えば、これからの仕事の方向と内容も決めねばならないが、その前にまず、家を磨くという大仕事があった。

仲に寝込まれてしまえば、猶子、由良子の女二人ではとうてい家の隅々まで手は届かず、茶の間と隠居所を除いては内はさながら化物屋敷、それに外も、庭の草ははびこるにまかせ、まるで草の中に家が埋もれているようなありさまなのを、戻ったとき円諒斎は、

「浅茅《あさじ》ヶ原というもおろかやなあ」

と嘆じたが、ようやく一人歩きのできるようになった仲に見立てさせると、これから草をむしり、庭に苔を美しく育てるまでには三年はゆっくりかかるという。

何年かかろうと、これでは客の一人招くことはできぬとあれば、全員呼吸を合わせて庭磨き、家洗いするより他ないが、しかしその作業にいそしむ者の表情は、以前のように決して暗くはなかった。それというのも、東京暮しの月日は円諒斎に茶道についての深い洞察と、ある種の達観とをしっかりと根付かせたものと見え、夜な夜な家族を相手に熱を込めて語るその言葉を聞いていると、近い前途に明るい光明が射し込んでくるような希望を感じずにはいられないものがあった。

円諒斎が東京で得た知見というのは、

「茶はもともと、『渇を医するに止《とど》まる』もんで、誰がどないに点《た》てて、どんなふうに飲んでもええもんやったのを、武家大名の方たちが挙《こぞ》ってお稽古するようになってから、万事格式張ってきたちゅううらみ、ありますな。

我らの三代秀旦さんは骨のあるおひとで、侘《わ》び茶《ちゃ》の昂揚をはからはったんやけど、時代には迎えられなんださかい、乞食秀旦とまでいわれ、不如意の年月を送らはった。これは皆々、ようご承知やろ。

そやけど、徳川幕府の体制確立とともに秀旦さんもそれに立ち向わざるを得んようになって、三男の秀左さんを紀州侯に、うちの四代さんを加賀侯に仕官させるのやけど、さらに後《うしろ》は五代さんのとき松山藩の茶道奉行をも兼ねるようになって、これが明治まで続きました。わしの、考えるのに、我が家はおよそ十代のあいだ、二百年近い年月、大名家の茶の指南などして来て、それをまた誇に思うて過して来たとなると、本来の茶の精神の何かを忘れたり、何かが欠け落ちたりしてへんかということどした。

わし上京する前まで、母さまや仲と相談して、一所懸命目標にしてたんは、如何にして昔の大名公家のお宅へ道をつけるか、ということやった。せっせとご挨拶に行っては、ここの家もあかん、あこの家もあかん、と嘆いてたの思い出しますな。そやけどな、皆これ聞いてや。いまはな、四海平等や。昔のように華族貴族はいてても、士農工商ちゅう区別はもうおへんのや。茶は誰が点ててもよろしいし、誰が飲んでもよろしいのや。

立派な茶室で、名のある道具類を使いこなすのも知識のうちやさかい、これもま、避けられへんうちの使命どすけど、縁先に腰かけてもろて、あり合わせの茶碗で一服、誰にでも飲んでもらうのも忘れたらあかん茶家の任務や思うえ。御祖さまの、『分に応じた茶湯』というお言葉も、つきつめていうたらこれなんや。

そこでわし、これからの方針として、我が後之伴家は、茶湯の一般への普及ということを目指してゆきたいと思う。隣のおじさんおばさん、お向うの嬢ちゃん坊ちゃん、誰でもさあさあ一服おあがり、後之伴家の兜門はいつでも開いてますのえ、ちゅうことを知って欲しいと思う。

それにはやな。これも御祖さんの『手かず少なく、点前かるく』のお言葉を踏んだ上で、わしが考案したのがこれや」

と、一同に披露したのが、盆の上で簡単に点てることのできる盆略点前であった。

円諒斎の説明によれば、入門して来た初心者はまず部分的な割稽古を習い、次に風炉《ふろ》または炉で薄茶を点てるのが順序だけれど、その前にこの盆略点前を心得ておけば、早い時期からどんな場所でも、人を楽しませ、自分をも楽しませることができるのだという。

円諒斎は自ら立って、火鉢に鉄瓶をのせ、盆の上に棗《なつめ》と、茶巾茶筅《ちゃせん》茶杓を仕組んだ茶碗を載せて運び、建水《けんすい》も添えてから、薄茶点前をいく手か略して点てた。

「どや。簡単やろ。これなら茶の間でも書斎でも、会社でもどこでもできるし、第一道具が要らんわなあ。あり合わせの見苦しないもんなら何でもよろしさかい」

というと、取巻いて見物していた者は皆、ほう、と声を挙げたなかで、ややあって仲が口をひらき、

「そこまでくだけるちゅうのは、どんなもんでっしゃろなあ」

と、いささか不服げな言葉を投げた。

続いて猶子が、

「たったそれだけの手でお茶点てられるんやったら、何も入門して一生修行せんならんことないわなあ。器用なひとやったら、隣でやってるの見てすぐ覚えてしまいますがな。ほしたら、うちへ習いに来るひとなんか、ますます無うなってしまいますわ」

といえば、円諒斎は向きなおって、

「これは母さまのお言葉とも覚えませんなあ。お茶ちゅうもんは必ず茶室で、ええお道具使うてせんならんもんやったら、お祖父さまは何で立礼式やら茶箱点てを編み出さはりました？　椅子にかけてても、土手の草の上でも、一服おいしい頂くのが利休さんの心やおへんか。

いまは時勢も違うて、最初からうちの唐紙三枚分へ書いたある点前の順序を教え込も

うとしたら、お茶て何どす？　と覗きに来たひとでも、こらかなんわ、と目を廻して止《や》めてしまいますがな。

　お茶てこんなにやさしいもんどっせ、と嚙み砕いた説明をしてあげて、ほして順に奥へ導いてあげたら、いままでご縁のなかったおひとでも、ずっと習いやすうなるのん違いますやろか」

　という円諒斎の言葉を聞いて、猶子は、

「そんなもんかいなあ」

　と不承不承納得という面持だったが、仲のほうは黙り込んだまま何もいわなかった。

　仲には仲なりの矜持《きょうじ》があり、それというのも、後之伴家中興の祖ともいわれる亡き得々斎から直々《じきじき》に伝授された者は、いまこの家で猶子と仲だけになっており、得々斎の精神をそのまま伝えるべく、円諒斎の幼い頃から手を取って教えて来た仲にとっては、ここまで略した点前については承服しかねる思いもある。そのせいばかりとはいえないが、このとき円諒斎の考案した盆略点前が、実際に使われるようになるのはこのあとまだ二十年ののちのことであった。そして、茶湯の一般普及の方針については誰も異存はなかったものの、円諒斎もまだ具体的な案については何もなかった。

　その年の秋、昼間由良子は市子を遊ばせながら障子の破れをつくろい、夜に入っては茶の間で家中の者の足袋を綴《つづ》っていた。小さな子供たちが戻って来てからは、足もとが危いからといって夜もらんぷの油を以前ほど惜しまなくなり、繕い物もできるようになっている。

東京生れの市子は、京の言葉や風俗を珍しがり、一日中由良子の腰について離れず、今日も障子の切張りに色づいた紅葉の葉を挟んで貼《は》ると、とても喜び、夕食後は由良子の膝で眠ってしまい、ついいましがた、二階の寝間へおぶって行ったばかりであった。ときどきは下の昌之助をも背負って台所に立つこともあり、そんなとき、益子は格別おおきに、ともお疲れさん、ともいわないが、いつのまにか由良子の洗濯物を畳んでおいてくれたり、米をといでおいてくれたりする。

相変らず内は窮乏生活でも、こういう家族のあたたかさはしみじみと嬉しく、兄一家が帰洛して以来、由良子は自分がよく笑うようになったのを感じている。足袋は、大きな木綿糸で綴った上にもさらに綴っているのを、なおまた綴らねばならないが、そういうことは由良子にとって少しも苦にはならず、せっせと針を動かしているとき、らんぷの光が急に暗くなったと顔を上げると、そこに円諒斎が立っていて、

「由良子、ちょっと来てや」

と声を忍んで手招いた。

手早く針箱を片づけ、らんぷを消して兄の後に続くと、いまだに小さな行燈《あんどん》を愛用している猶子の部屋に入り、その仄《ほの》明りに久しぶりで水入らずの三人、顔を見合わせた。

円諒斎と猶子は、互いに「母さまから」「宗匠から」と譲り合っていたが、やがて円諒斎が改まって、

「由良子、話ちゅうのは他でもない、お前の縁談のことや」

と口を切り、え？ と怪訝《けげん》な表情の由良子に、

「あのなあ、うちの不秀と一緒になってくれへんか」

といった。

由良子はもう一度、え？ と聞き返してはみたものの、円諒斎の言葉の意味は耳を素通りしてゆき、呑み込めぬ顔つきでいるのへ、

「あのなあ由良子。唐突でびっくりするやろけど、不秀とな、お前、夫婦になってくれへんか、というてるのや」

と円諒斎は繰返した。

不秀と？ この私が？ 夫婦？ と、目を見張っている由良子のそばへ一膝進めたのは猶子のほうで、

「あのなあ、由良子。お前も二十になったわなあ。二十という齢は、世間並みにいうたら、ちょっともう薹《とう》が立ち過ぎてる。もっと早うお前を縁付かせんならんとこやったけど、知ってのとおり、うちはいま、お支度とて出来ひんし、それに第一、お前にうちを出ていかれたら困る。不秀と夫婦になってずっとここにいててくれたら、うちはどんな

に助かるか。なあ、お前は家守りの観音さんやったもんなあ。そうしてくれへんか」

と、俯《うつむ》いている由良子の顔を、下からのぞき上げるようにして説く猶子を、今度は円諒斎が抑えて、

「あのな、わしのほんまの気持いうたらな。あの不秀くらいええ人間は、ちょっと見当らへん。まだ頑是《がんぜ》ない子供の時分から、この家のために蔭日向なく誠心誠意、身を粉にして働いて来てくれた。

殊に東京暮しの三年間というもの、不秀のわしに尽してくれた真心を、わしは生涯忘れられへん。みぞれの降る寒い日、二人で中将さんの紹介してくれはったお邸へご挨拶に上らんならんというときのことや。貧乏やさかい二人とも履物《はきもん》がない。その折うちには十五銭の金しかおへなんだ。不秀はそれ持って下駄屋へ行き、栴檀《せんだん》なら二足買えるもんを、一足だけ買うて来て、『初めてのお邸では、きっと履物は人手にかかります。桐下駄やのうてすんまへんけど、これが十五銭で買えるいちばんええ下駄どす』と差出し、自分は薄氷の道をはだしで供をして来てくれたんや。わし思わず涙がこぼれたなあ。

そやのうても、ふだんから足袋もなし、寒空に単衣物《ひとえもの》一枚でふるえてる身や。歩きもって後振返ると、あかぎれの切れてる足から血が出てる。点々と赤う道にしたたっているのを見て、わし、この男に何をして報いたらええやろか考えたなあ。

これはほんの一例やけど、わしらが東京で乞食もせんと、どうなりこうなりして戻れ

たんは、不秀の赤心あってのことや。そこでやな、不秀に対し、わしのたった一人の大事な妹をめとってもろうてその労苦をねぎらいたいと思うて相談になったんやけど、どやろかなあ、由良子。

いや、誤解されると困るけど、お前を人身御供《ひとみごくう》にさし出すちゅうのやおへんえ。いずれお前も嫁付《かたつ》かんならんとしたら、お前を一生大事にしてくれはるおひとを選びたいし、それには不秀が誰よりもふさわしい。二人が夫婦になって終生この家にいてくれたら、母さまもわしもどんなに力強いかしれへん。

いまはうちも大事な時期やし、一人でも人手を減らしとうない。由良子、なあ、承知してくれへんか」

と熱を込めて説く円諒斎の前で、垂れている由良子の頭は次第に下り、両手を畳に突っ張って支えていたが、とうとう涙とともに鼻水を啜《すす》りあげた。

結婚について、由良子は全く考えなかったわけではないけれど、それは円諒斎のときのように仲人役が出入りした挙句、身内が皆、奨《すす》めてくれる相手が決まり、吉日を選んで式を挙げ、この家を出てゆくか、或いは子供の頃からの予感のように、相手がこの家にやってくるか、漠然とそういう未来を想像していただけに、ずっと一つ家に共に起き伏しして来た不秀と、いとも手軽に夫婦にされるのは、耐え難く悲しい。

何よりも承服でき兼ねるのは、業躰《ぎょうてい》は使用人ではなく、茶道の修行者といわれるけれど、実際に家元を師とも主とも敬っている日常ならば、そこには明らかに師弟、主従の関係が成り立つ。由良子はもちろん家元ではないが、家元の妹であれば業躰は由良子に対し、家元に準じる礼を取るのが当然で、また現実に、不秀はいつも、由良子よりは一歩後に退《さが》って従って来た感じがある。由良子のほうも、幼い頃、まだ他にもいた業躰たちとともに、不秀を自分の下に付くもの、と考えて来たところがあった。

女は嫁げば夫を立て信服しなければならないが、相手がついきのうまで、家の奉公人とも考えていた人間であるのは、自分が一段も二段もなり下るような気がする。母親とは生《な》さぬ仲ではあるものの、私とて伴家の娘、嫁入りは誰がみてもつろくするひと、もしそういう相手がいなんだら一生、一人でいてもかましまへん、と由良子は胸のうちでいいたい言葉が渦巻いているのに口には出せず、深く頭を垂れたまま、涙を流すばかりであった。

第六章　松隠席

京の極月《ごくげつ》の夜の寒さは、北国のように柱へみりみりと寒の入る音が聞えるほど荒々しくはないが、じわじわと鋭く執拗《しつよう》に四方から攻め立てて来、次第次第に身が縮んでくる。晩秋のころからずっと、由良子は夜なべに針を持ち続けており、それというのも、冷たい寝床に身を横たえても、とうてい安らかな眠りは得られないためであった。

過ぐる日、猶子《ゆうこ》と円諒斎《えんりょうさい》が不秀《ぶしゅう》との縁組を持ち出したとき、もの静かで素直な由良子だからその場でうなずくと思われていたのに、意外に沈黙のまま、涙を流すばかりだった様子を眺めて、まず円諒斎が、

「一生のことやさかい、すぐに返事せんかてええがな。じっくり考えときや」

と宥《なだ》め、続いて猶子は、

「あんたなあ、よう考えとおみやす。よそさんの知らん家へ嫁入りするのと違うて、恐い姑《しゅうとめ》にいじめられるわけやなし、身内ばっかりのなかで、いままでと同じように気楽に暮せるのやがな。これほどええ話はない、と私は思うのやけどな。それにな」

と一膝すすめて、

「不秀と夫婦になったかて、あんたの名は隅倉のまんまでよろしのえ。つまり業躰《ぎょうてい》の女房にはなってても、隅倉の跡取りという位は変らへんのやさかい、何も案じることはおへん。ここのとこ、よう了簡してや。なあ」

と、由良子には咄嗟《とっさ》に呑み込めぬ言葉であった。

この場は由良子の涙で一応納まり、いずれ後日の話としてそれぞれ引取ったが、以来由良子の重苦しい日が始まり、気持は少しも動かないまま今日に至っている。相手の不秀にはこの件を打明けてあるのかないのか、しかしいずれは因果を含ませる結果になりはしないかと恐れ、由良子は以来何となく不秀を避けるようになり、また円諒斎も、あれから目に見えて沈んでいる様子の由良子をいたわる思いもあるのか、この件については何もいい出さなかった。

考えてみれば、由良子の体内を流れている血は後之伴家《うしろのばんけ》ではなく隅倉家だし、筋と建前からいえば、崩壊したといえども隅倉の娘の結婚なら、由緒正しい家との縁組であっていいような気がする。何故私が不秀と夫婦にならんならん、と承服できかねる思いのまま、しかしそれは誰にも話せることではなく、おぼつかない日を過しているのであった。

冷たい指先に息をふきかけふきかけ、市子の半纏《はんてん》の掛衿《かけえり》を絎《く》けていたとき、突然針が折れ、それを針山の下の小曳出しに入れてから土間に下りた。何故か白湯《さゆ》でも飲みたくなり、小枝を膝で折って小さな竈《かまど》の下を焚《た》きつけたとき、入口の障子が開いて首を縮めながら戻って来たのは舜二郎《しゅんじろう》であった。

「おお寒、おお寒」

といいながら、竈の焚口に由良子と並んでしゃがみ、てのひらを火にかざしながら、

「姉さま、ずうーっとよう精出してはるなあ」

などといっていたが、

「俺なあ、こないだから姉さまと二人きりで話したいと思てたのや」

と顔を寄せて来、

「不秀と夫婦になるよう、勧められてるのやてな」

と、竈の赤い炎に照らされた表情は真剣で、

「俺、巧いこといえへんけどな。姉さま気が進まへんのはよう判る。いっそな、思い切って姉さま妙寿庵へ逃げ出さはったらどないやろ」

と暗く光る目で由良子をみつめた。

「びっくりしやはることはないえ。この家は一家の主《あるじ》かて東京まで逃げ出さはったくらい住みにくいとこや。長男だけは天皇さんで、他の子は皆道具のひとつやと思てる。なんぼ使《つこ》ても、どないに使てもかまへん思てる。ほんまいうたら、兄さまが東京に行かはるとき、姉さまは妙寿庵へ返してあげるのがいっち身のためや、と俺でさえ思たけど、母さまは欲得ずくで引止めはった。これはな、姉さまが隅倉の名前持ってはるさかい、手許を離したら損やと思てはるのや。

今度の縁組かて考えとおみ。姉さまはこの家で重宝してるさかい他家へ縁付かされへん、ほんなら婿取りするとなると、万一隅倉の筋から利益になるもんが入ってきたとき、婿にそっくりとられてしまう懸念がある。不秀やったら、これはいうてみたら忠義な家来や。籍に入れんかて姉さまと夫婦になって家のために尽くしてくれますのや。これほど都合のええ相手はおへんわなあ。

ついでにいうたら俺かてそうえ。一生死ぬまでこの家で業躰つとめんならん。まるで人柱や。家を出て好きなことして食うていけたらどないにええか、俺このごろ、つくづく世間のひとを羨《うらや》まし思うんや」

と舜二郎は言葉を区切り、立って釜の湯を湯呑みに注いで由良子にさし出した。

「白湯て甘いもんやな。おいしいな」

と啜《すす》る舜二郎のわきで、由良子は熱い湯呑みを両手で囲い、遠いところをみつめる目

差しで、

「そやけどなあ、舜二郎。うちは妙寿庵へは行かへん。母さまには大恩がおすもん。この家にずっといてるつもりや」

「ほなら姉さま、家来にご降嫁遊ばさはるつもりどすな」

「それは」

と迫られると言葉は出ず、俯《うつむ》くとたちまち目の底はじっとりと湿ってくる。

舜二郎のいう意味は判らぬではないが、この家を出て妙寿庵へ逃げ込むなどの大それた行為は、とうてい由良子には出来ることではなかった。思い詰め、猶子に内緒で妙寿庵へ一人旅を決行した日もあったけれど、あれは生みの母に会いたさ一心から、しかしいまそのひとがこの世に亡い故に出奔《しゅっぽん》を思いとどまっているのかといえば、それは由良子自身、はっきりと否定できる。

「ほな何で？　何でここにいんならん？」

と舜二郎に問い詰められても、しかとした答えは出ないが、強いていえばこれが自分の定められた運命、と半ばあきらめているところがある。あきらめとは、亡き祖母が呪文のように由良子の額に刻みつけた「家守りの観音さん」という言葉もあれば、また父無きあと、猶子が女ながらも奮迅の勢いで家を守って来たことへの敬服もあり、そしてやはり、いま自分ひとりこの馴染んだ家族を捨て、あの小ぎれいに暮している妙寿庵へ、娘だからといってひとりだけ軽々しく納まるのは、気が咎《とが》めてとうていできることではなかった。

そそのかしに乗らぬ由良子を、舜二郎は、

「やっぱりあかんなあ、姉さまは。そやさかい母さまにええようにされるにゃ」

とはがゆそうにいうが、そういう自分も親から久離《きゆうり》切っての勘当を受けてまで、好きな生きかたをするかといえば、これも由良子同様、その勇気はないらしかった。

この年の節季仕舞は、去年おとといに較べるとはるかに楽で、それというのも、ほんの僅《わず》かながらも、入門者の数が増えたことにあった。女学校の茶儀科を担当したこと、斎藤中将を始めとする東京の知人たちからの影響や、また老分たちも目に見えて親身になり、月のうち、玄関に女下駄の並ぶ日も数えられるようになっている。弟子を取れば、諸道具ととのえ、家元としての貫禄も示さねばならないが、東京暮しの経験が役立って、そこは円諒斎のやりくりが巧者になっており、道具屋に話をつけて借りたり、後払いの約束を取りつけたり、こういう融通の利くようになったのが、以前に較《くら》べての大きな進展であった。

かたちだけでも餅も搗《つ》き、年内もう数え日ともなった日の午後、円諒斎が由良子を松隠席《しよういんせき》に呼び入れ、

「どや、由良子もう気持は静まったか。例の話、考えてくれたやろな」

といい、

「いいたいことがあるなら遠慮無ういうとおみ。ここには母さまもおいやさへん。わしだけの胸にしもうとくさかいな」

と他へ洩《も》れぬようやさしく低い声で、聞いてくれた。

あれからもう一と月半、そのあいだともすればにじみ出てくる涙を拭いながら、自分が固めた観念の臍《ほぞ》を、由良子ははじめてはっきりと口にし、

「兄さまや母さまが、この家に私がいつまでもいて欲しい、と思わはるお気持で、いい出さはったお話どしたら、お気持に添うて私は一生死ぬまで、この家にいさして頂きたい、とこないに考えております。それは、何も人さんと縁組せんかて、出来ることどす。私は誰にも嫁《ゆ》かしまへん。こんなりで、いままでどおり、齢いってもどうぞいさしとおくれやす。どうぞ、そうさしとおくれやす」

とためらわず述べた。

円諒斎は由良子の顔をまじまじと眺めながら、

「お前、不秀が嫌いなんやな」

とぽつんと洩らし、由良子はすぐおうむ返しに、

「そんなんやおへん。不秀さんはええお方どす」

「うちの縁組はな、好き嫌いで決められへんこと、わしを見てもよう判ってるやろ。人

間おかしなもんで、一緒になったらなったで、それなりに結構うまくいくもんやけどな」

と円諒斎はそこまでいい、しばらく黙然と目を落していたが、何もいわずすっと座を立って行った。

由良子は躙口《にじりぐち》を開け、斜めに差込んで来る薄い冬日のなかに膝を入れたまま、長いあいだじっとしていた。兄さまは自分の結婚についてああはいわはるけど、姉さまとは誰がみてもつろくしてる縁組やった、自分はどう考えても不秀とつろくしてるとは思われへん、これは私の思い上りちゅうもんやろか、気随過ぎるのやろか、と胸に湧《わ》いてくる思いをくり返しなぞっているとき、ふと、

「由良子さま、由良子さま」

と辺りを憚《はばか》る低い声を聞いた。

あ、不秀や、と思うと体が固くなり、思わず身構えたが、声は庭からららしく、姿を隠したままで、

「先ごろ宗匠よりお話、伺いましてございます。まことに有難い思召《おぼしめ》しどすけど、あんまりにもったいのうて、不秀はとうていお受けすることはできしまへん。どうぞお案じ下さいませんように」

とそれだけ告げると、躙口のわきを離れたらしく、ぴたぴたと草履の音が遠ざかって

行った。

由良子は、夢のなかで天のお告げを聞いたような気がし、しばらく呆然《ぼうぜん》としていたが、少しずつ覚めてくるに従い、何故か恥かしくてたまらなくなり、顔が火照っているのが自分でもよく判った。まだこちら側だけの相談かと思っていたら、すでに不秀へも打明けてあるということは、由良子が拒んでいるのも伝わっていると考えねばならず、譬《たと》えていえばそれは、誰にも見られてはいないと思っている自分の放恣《ほうし》な姿を、いつのまにか不秀に見られていたというような感じがあった。

それに由良子は、上京の際、不秀からとりわけ懇《ねんご》ろに頼まれた茶花畑を、はじめのうちこそ念を入れて手入れもし、採集もして新種を増やしていたけれど、そのうち家の台所のやりくりに追われてくるに従い、雑草との戦いに負けてしまい、無残にも放置してしまったことの悔悟がある。東京から一家が戻って不秀と顔を合わしたとき、まっ先にそのことが頭に浮び、覚書を返して、

「すんまへん。ほんまにすんまへん。裏のお花、あかんようにしてしまいました」

と謝ったが、不秀は手を振って、

「そんなんちっともかましまへんのどす。庭中こないな草どすもん。花畑が助かるわけもおへんのどす」

といい、由良子の気持を軽くしてくれたことに対するなにがしかの負担もある。

いま松隠席の外からの声も、私との縁談で悩まはることは何もあらしまへん、私はご遠慮さして頂いてますのやさかい、という、由良子の心のうちを慮《おもんぱか》った言葉と受取れるだけに、由良子はまたもや不秀に対し、一種の気おくれを感じないではいられなかった。

以前は座敷ですれ違っても、格別何ともなかったものが、この話不秀も知ってる、と判ってからは顔合わせるのもいっそうぎごちなくなり、つとめて避けるようにしているうち年も明け、正月十二日の夜のことであった。

この頃剣《つるぎ》の間で寝ている由良子は、寝入りばな、二階の市子が激しく咳《せき》をするのを聞き、あしたは黒砂糖ねぶらしてあげよ、などと思いつついつのまにか眠りに入っていたらしい。何やら騒がしい気配に目覚めると、往来を走る足音に混って半鐘の乱打が聞えてくる。火事や、と思い、枕許の半纏《はんてん》を羽織ったところで二階から円諒斎が下りて来、通りへ走り出て行った。続いて皆起出し、「どこや、どこや」といいながらわらわらと表に出ると、家々の廂《ひさし》の向うに東の空が真紅に染まっているのが見える。あわただしく走り過ぎてゆくひとに、

「近いのどすか」

と猶子が声をかけると、

「南禅寺や。火が大きいて」

といい捨てて去るのを聞き、猶子は円諒斎に、

「宗匠、どんなもんやろ」

と用心を計った。

「どないに大きいても、ここまで延びてくるちゅうことは、ちょっと考えられしまへんな」

「そやけど東風え。京都の町は何度も焼野が原になってまっさかいな。火を見縊《みくび》ったらあかん」

「そうどすなあ。わし一寸走って様子見に行って来まっさ」

と円諒斎が駈け出して行ったあと、風邪ひいたらあかんと、皆一旦寝床に戻ったが、半鐘の音は不安をかきたて、誰も落着かなかった。まもなく円諒斎が白い息を長く吐きながら戻り、

「どうやら本山だけでおさまるちゅう話や。わしは起きてるさかい、皆安心して寝おし」

と寝ずの番を引受けてくれ、それを聞いて由良子も安堵《あんど》して眠りに就いた。

翌朝は日出新聞が飛ぶように売れるかと思いきや、新聞を取っている家へ読んで聞かせてもらいに行くひとも多く、また焼跡を見に行った野次馬たちの口々に吹聴《ふいちよう》する話を聞くと、らんぷの火の不始末で出火した大伽藍《がらん》は、五万坪の敷地に建つ法堂すべてを

焼きつくし、かろうじて山門だけを残しているという。建造物、宝物類、名園等、大半烏有《うゆう》に帰したのを惜しむ声も多く、朝食は家でもその話題ばかりであった。

夜に入って由良子はまた円諒斎に呼ばれ、昨秋と同じように猶子の隠居所で三人向い合った。すると円諒斎が小さな手焙《てあぶり》火鉢をわきへ押し除け、突然由良子に向って手をついて頭を下げ、

「このとおりや、由良子。わしの一生の頼みやさかい、うんというてや、なあ」

といい、由良子は驚いて兄のそばへ躙《にじ》り寄った。かたわらの猶子が中に入って、

「昨夜な。あの騒ぎのとき、不秀がどこにいてたか、由良子知らんやろ。不秀はな、一人御祖堂《おんそどう》へ入って、利休さんの像を守ってましたんや。しかも手桶三つ皆水張ってまわりに置いてな。いざというときは、利休さんに水かけて、背負うて、安全なとこへお連れしょ思うてたらしい。それ聞いて宗匠は涙流さんばかりに、嬉しかったたていうてはりますのや」

それを円諒斎が引取り、

「昨夜はなあ、大火事やいうても火元は遠いし、皆野次馬気分やったわなあ。誰ひとり、このわしかて利休さん避難させよと思いつかへん。不秀はほんま、見上げた心がけやないか。こういう男とわしは兄弟になりたいてしみじみ思うたなあ。いつまでもここにいてもろて、わしを助けて欲しとつくづく思うたなあ。なあ由良子、不秀と夫婦になった

ら、お前はきっとしあわせになれる。わしが請合う。なあ」

と懇願する円諒斎を助けて、

「あんたが意地張って、いかず後家でいるやなんて人聞きも悪いし、また女の一人身ちゅうのは世間からもバカにされる。悪いことはいわへん。そうおしやす」

と猶子も懸命の態で勧め、二人にじっとみつめられたとき、由良子はもう逃げようがないと思った。どうせなら生涯かけ、ここの家守りの観音さんになってあげよ、ともはや覚悟を決め、手をついて、

「ほならお任せ申します」

と頭を下げたが、心のうちはまだやはり悲しくて、ぽろっと膝の上に落ちた滴《しずく》がみるみる滲《にじ》んで拡がるのを、じっと俯いたまままみつめているのであった。

しかしとうとう由良子は承知させたものの、この話はすぐにはまとまらず、それというのも不秀が固辞しつづけているためであった。いちいち聞かずともその気配は由良子には判るが、理由については何故か自分を嫌っているため、とは考えられなかった。あの松隠席の外からささやいた言葉の響きからして、あんさんを好かんさかい辞退さしてもらいます、との含みがあったようには思えないし、それよりも先ず、義理堅い不秀が苦しんでいるのは、大先輩とも師匠とも仰ぐ仲がずっと独身を守り、生涯奉公を続けているかたわらで、まだ若輩の不秀が先んじて伴家の婿となることの不遜《ふそん》を、十二分にわ

きまえているからに相違ない、という推察ができる。仲がどんな反応を示しているか判らないが、それにしても不秀さんもお気の毒やなあ、と由良子は思い、どうぞこの話、受け付けんといとおくれやす、断りとおしておくれやす、と心のうちで祈る気持であった。

その後、どういう経緯を経たのか二月一日の夜、四たび呼ばれ、由良子が隠居所に入ると、すぐ猶子から、

「決まったえ、由良子。ちょっとあわただしいけど善は急げや。祝言はあさって、節分にしょ。内輪だけでな。親戚はどこも呼ばんかてよろし。お前も不秀もこの家出るのやなし、いままで通りでええのやさかい、日を見て私が前家《まえけ》と武者家とだけ二人を挨拶に連れていこ、とこない思うてる。それでええやろ？　な」

とかたわらを振返り、円諒斎もそれを受けてにこやかにうなずき、

「ま、お前には嫁入道具は何も拵《こしら》えてあげられへんけど、皆してともに働いて、うちも少し楽になったら、そのとき改めて考えよなあ。それまではこらえてや」

と慰めた。

とうとう祝言、しかもあさって、と聞くととたんに由良子の気持は暗くしぼみ、この先もうどうなってもいいような、投げやりな気分に陥《お》ちこんでくる。ふらふらと立って茶の間に坐ると、土間を片付けていた益子が、例ののんびりした口調で、

「明日中に神戸へ行て、私の母親の紋付、借りてきてあげよと思うてるのどすけど、由良子さんどないどすやろ」

と聞いた。紋付、と聞いてもすぐ呑み込めず、うっそりと、

「母さまに聞いとおくれやす」

とだけ答えると、益子は隠居所へ伺いに立ち、戻って来て、

「伴家のコマの紋やなかったら、着んほうがよろしといわはりました。皆ふだん着で、盃だけやそうどすなあ」

と少々いたましげな視線を投げかける。

いま後之伴家は、底を突いた生活で、このなかで祝言を挙げるとなると、三三九度の木杯の調達でさえ困難なのはよく判るけれど、子供の頃、駈け出して見に行った花嫁さんの、五つ紋の裾模様、大きな丸帯、島田にあげ帽子、人力車に乗って、灯を入れた提灯《ちょうちん》に定紋つきの足元提灯、付添いの母親は前帯の裾ひき姿で、と目の底に残っているだけに、由良子の気持が少しも引立たないのは無理もなかった。

とうとうその日が来てしもた、来てしもた、と困惑ばかりで夜が明け、翌日になってても誰ひとり浮れもせず騒ぎ立てず、ようやく節分の当日になって、猶子が指図をはじめたが、それは当人の不秀と舜二郎に拙々斎《せっせっさい》の掃除と障子の繕《つくろ》い、酒屋の交渉などいいつけ、由良子と益子には祝い膳の相談であった。婚礼は日が暮れてからと決まっており、

夕方になるとようやく、

「由良子、それよりはもうちょっとなんぞましなん、ないか」

と由良子のいつも着ている木綿のやたら縞《じま》を指していい、益子がわきから、

「木綿もんどすけど、私、一枚だけつぎの当ってへんの持ってます。それどうどすやろ」

と口を出したが、由良子ははっきりと、

「これでよろしおす。昨夜寝押しして、肩山の折だけはつけてありまっさかい」

と断った。

格別意地というわけでもないが、ここまできてもう繕う必要もないという思いが強く、髪も、いく年もこの家に鬢《びん》つけ油もないまま、自分で取上げた水髪の銀杏《いちょう》返しであった。婿も嫁も、たったいま、庭や台所から前掛けを外して上ってきたばかり、という姿で床前に坐り、猶子が孫の市子に手を添えてあり合わせの土器《かわらけ》で盃を終ると、赤い小豆御飯に尾頭つきは干したいわし、賑《にぎ》わいにあらめの煮物と豆腐の吸物という膳が出て、あとはすぐ膝を崩しての雑談になった。

酒の好きな円諒斎は、しきりと盃を重ねながら席中ただひとり上機嫌で、

「今晩、この席でいっち喜んでるのは誰やいうたろか。このわし、円諒斎やで。わしは不秀には恩義があるし、第一この人間が好きや。今日からわしの兄弟分になってくれる

と思うと、こんな嬉しいことないわ。齢はわしより二つ上やけど、由良子の婿やさかいわしの弟や。舜二郎には兄になるちゅうわけえ。ええか、皆仲好うして、わしを助けてこの家を盛立ててや」

と酔いがまわってくどくなり、同じことを繰返してとめどもない。

振返ってみれば、この家でこうしてめいめいの膳を囲み、一堂に会して和やかに食事するのはいく年ぶりかになり、祝言など外にして団欒《だんらん》の雰囲気をそれぞれなつかしんでいるふうで、そのうち、子供たちが大人の膝で眠ってしまうと、猶子が由良子に、

「今晩から二人で松隠席でおやすみやす」

と命じ、やおら立上って、

「さあせめて、お床入りのときくらい、昔どおりの決まりを守りまひょ」

と小さな燭台に灯《とも》りを点し、それを持ってさきに立った。

自分の手でそれぞれ自分の蒲団を運んで来た由良子と不秀に、猶子は燭台を示して、

「婚礼の晩だけは、この蠟燭《ろうそく》の芯を切ったらいかんといわれてますのえ。縁が切れるちゅうて、忌むのかもしれまへんな。この部屋は網代《あじろ》天井どっさかい、とくに火は気をつけんとあきまへん。ふだんもなるべくらんぷは使わんように」

といい置いて去って行った。

燭台を中にし、それぞれのべた蒲団の上に坐った二人は、不秀が両てのひらで膝小僧

をかかえて首を垂れ、由良子は膝の上に手を組んだまま、双方とも口にすべき言葉がなかった。結婚について二人が話し合ったことは一度もなく、いわば極めて唐突にこうして二人きりにさせられただけに互いに相手の顔も見られず、じっと視線を落して重い沈黙に耐えているうち、小さな燭台の小さな蠟燭は一きわ大きな虹を描いたかと思うと、虫の啼《な》くような音を立てて燃え尽きてしまった。

同時に身を取巻いた厚い闇のなかで突如、嗚咽《おえつ》の声が聞えたかと思うと、不秀が打伏しているらしく、

「由良子さま、すんまへん。申しわけおへん。こないなことになってしもたんは、皆、私が悪うおす。仲先生への義理もおすのに、突っ張りきれなんだんは、私の気の弱いせいどした。どうぞかんにしとおくれやす。どないしてお詫び申上げたらええか」

と号泣する不秀に誘われ、由良子もこんな身上を悔む涙がどっと噴きあげて来、両袖を顔にあてて思わず身をふるわせた。

不秀はなお泣きながら、

「由良子さまと夫婦やなんて、かたじけのうて、有難すぎて、ほんまにもっての他のことどす。夢にも思うてしませなんだことどした。宗匠騙《だま》すんは不埒《ふらち》どすけど、どうぞ今夜はこのまま何も心配せんとおやすみやしとくれやす。今夜だけやのうて、この先もずっとずっと、私のことなど気にもとめんと、安気におすごしやしとくれやす」

いるらしかった。

というと、闇のなかで蒲団をずらせ、隅の壁へ片寄せてその上でじっとかしこまって

由良子は頭の中が千々に乱れ、この場合、どう処したらいいのか、途方に暮れるばかりであった。律義な不秀のことだから、こちらの言葉次第では或は庭に出て寝るかもしれず、それはこんな酷寒の夜、自殺行為に等しいのを思えば、かりにも今日の結婚についてこちらから否定的な言葉は口に出せなかった。さりとて、もう仕方おへんやおへんか、などと投げやりない い方は二十の娘にはなおさらいえず、思い乱れながらただじっと沈黙しているより他、方法はなかった。

後から振返ってみれば、あのときは何とまあ、強情張って、と半ば笑いもできるのだけれど、このときは娘の潔癖さも手伝い、ひたすら相手につけこまれてはならぬと、頑《かたく》なに身構えていたものとみえる。

翌日は、京都慣わしのお部屋見舞という親戚うちのお内儀の訪問などもなく、ふだん通りの静けさで、この家に昨夜祝言があったなどとは信じられないほどであった。ただ円諒斎だけは嬉しそうにはしゃぎ、

「何ちゅうても目出度いことやな。これで不秀も由良子もこの家に根が生えた。舜二郎もやがてはええ嫁さんもろて、うちの枝葉を茂らさんならんな」

と一人顔をほころばしている。

由良子は昼間、いつものように家事や子守りをしていても日の暮れるのが恐ろしく、夕食後また松隠席へ引きとったあとは、朝までの長い長い時間、ぎごちない闇の沈黙で過すことを思うと、身を切られるように辛かった。自分だけ剣の間へなりと寝床を移してもよいのだけれど、誰かに見つかれば波紋を立てることになり、そんな好ましくない仕儀は構えて控えねばならぬ。

人に相談できることではないし、由良子みずから何の解決策を見いだせないまま、緊張と不眠と忍耐の夜がその後も続き、ひょっとすると不秀のいうとおり、一生このままで終るのではないかと思いはじめた頃、由良子は夜分、猶子の隠居所に誘われた。

「祝言からもう半月近いのに、由良子、あんたらはまだ夫婦になってへんな？　え？　そうやろ」

といきなり切出され、どぎまぎして由良子は赧《あか》くなり、顔も上げられずにいる。

「不秀も不甲斐《ふがい》ない男やな。これは宗匠からよういうてもらいますけど、あんたもな、ちょっと考えんとあかん。不秀はあんな堅物やさかい、あんたがつんとしてたら手え出しようがないやおへんか。

由良子、よう覚えときおしや。祝言挙げたからにはあんたはもう不秀の女房やさかいな、亭主が業躰であろうと、乞食であろうと、大将であろうと、女房は亭主に添うて生きていかんならん。都合であんたはこの先もずっと隅倉でいんならんけど、そんなこと、不秀と一緒にいてるときはさっぱり忘れてたらよろしがな。ただの不秀の女房でええがな。心をひらいて、旦《だん》さんにすがって、いいなりどおりに暮してたらそれでええがな。

あんたが、私は伴家の娘や、隅倉の跡取りや、と肩張ってたら、一生涯、女のしあわせちゅうもんは寄りつかへん。夫婦は二人だけで、賽《さい》の河原に石積むように、無駄な努力もしもって家築いていかんならんもんえ。誰も手っとうてくれへんのや。これ判るか」

という猶子の顔を、由良子は全く耳新しい言葉を聞いた思いで、はっとして見つめた。目からうろこが落ちる、とはこのことかと思うくらい、いま目の前の暗雲がはらりと払われ、自分の姿がはっきり見えたと由良子は思った。気取って、もったいぶって、心のうちで見栄を張りつづけていた自分に、不秀はさぞや苦しんでいるに違いない、と思うと、俄《にわか》に身の竦《すく》むほどの悔いに責め立てられてくる。何の罪もない不秀に、なんで寄添ってあげなんだ、何で心をひらいてあげなんだ、といちいち猶子の言葉が胸を刺してくるようであった。

大きな目で自分をみつめている由良子に気づくと、猶子はきまり悪そうに少しうろたえ、

「いや、ほんまいうたら、夫婦のことであんたにこんな説教できる資格は私にはおへんにゃ。父さまに逃げられてしもたさかいな。あんたも不秀とは末長う添いとげおし。夫

婦は仲のええのがいちばんやで。それにまさるしあわせはないと思うえ」

と呟くように話す猶子の目に、小さな露が宿っているのを、由良子は見てはならぬものを見てしまった、と思った。

由良子がまだ幼くて家にも客往来の多かったころ、目の底にかっきりと灼《や》きつけている美しい女文字の筆蹟がある。

確か香紙切《こうしぎれ》といい、何でも料紙は丁字《ちょうじ》の汁で刷毛《はけ》染めしたものだと聞き、床前でのび上り、鼻をくんくんさせた覚えがあるが、由良子の目に浮んでくるのは、その料紙の上にしたためられた一種の和歌の手であった。

それは由良子の子供のころの頭に小大君《このおおいぎみ》、という名で刻まれており、和歌も、
いはゝしのよるのちきりも絶ぬへし
とまでは確かで、その文字の女には珍しい力づよさと、それでいて優美流麗にすっかり心奪われ、以来仮名書きの稽古のときには必ず、頭の隅にこの文字を思い起していたものであった。

後から考えれば、こういう中世の貴重な遺物を、簡単に子供の目にさらすほど軽々しく扱ったとは思えないが、ひょっとすると、子供たちには甘い隅倉の柳庵がこれを手に入れた嬉しさで弟恭又斎《きょうゆうさい》の許へ持ち込み、披露の席上、居合わせた由良子に、

「このお手は左近さんともいうて、三条天皇さんが東宮さんのとき、女蔵人《めのくろうど》として仕えたおひとえ。高野切《こうやぎれ》などには及ばんけど、立派なお手やなあ。よう見て覚えときおし」

などと教えて、由良子を床前に押しやってくれたのではなかろうか。

しかし幼い頭はやはり曖昧《あいまい》で、小大君の和歌は上の句だけで、下の句は覚えていなかったし、そしてこのとき由良子が眺めた断簡はこの歌でなかったことがのちに明らかとなる。

由良子はこの日頃、もう五つになった市子と三つの昌之助の手習いを見てやっており、そのわきで自分も何となく稽古しながら、手本もないまま、しぜんに頭に浮ぶ小大君のその上の句だけを書き習っているときがある。白紙《しらかみ》は大切なものだから、手習いは紙の白い部分が見えなくなるほど上へ上へと重ねて書くのが心得だが、その日由良子は、最後に新しく白紙を一枚おろして、その歌を清書した。このときはべつにこれをどう使うか考えもせず、墨の乾くのを待って四つに畳んで懐に入れ、夜になってからふっと思いついてその紙を不秀の蒲団の下に敷いておいた。

松隠席に灯りを入れてはならんといわれているのを二人とも守り、いまだにこの部屋は暗闇だが、翌朝明るくなればこの紙が不秀の目に止まるのを予期してのことで、さすがに胸は高鳴ってくる。もう半月余り、闇の部屋にそっちこっちと離れて寝るのにも馴れ、このままなら生涯二人とも他人で過すことになるやも知れぬと感じていた矢先の、先夜の猫子の言葉であった。

歌のいはゝしというのは、男女の仲へかけようとして途中で止めた橋の意味をあらわし、どことなく由良子と不秀の間柄に似ているように思えるし、このさい石のように固まってしまった不秀の遠慮と慎しみを解きほぐすきっかけは、当然由良子のほうから手を差しのべるのが順当だと考えられるのに、そのきっかけはなかなか摑《つか》めなかった。

その夜のしらしら明け、朝の早い不秀はこれまでどおり先に起上って寝床を畳んでいるのを由良子は気配で知り、ひとりでに動悸《どうき》が昂《たか》ぶってくるのを覚えた。まもなく蒲団の下の紙片をみつけたと見えて、不秀はしばらく窓の明りにすかしていたが、やがて溢れる思いを押しこらえた低い声で、

「由良子さま」

と呼んだ。

さっきから体を固くして言葉を待っていた由良子は起上って衿もとをかき合わせながら、

「はい」

と応じ、巧まず飾らずしぜんに親しみが湧き、不秀の目をみてにっこりした。

由良子がはじめて不秀に見せた、笑顔であった。

「由良子、と呼びすてにしておくれやす。おたのもうします」

と小さな声で恥かしそうにいう由良子に、不秀はなお手をついて頭をさげながら、

「おおきに、有難うさんどす。おおきに」

と繰返し礼を述べたのち、これもやわらかな笑顔になって、

「拾遺和歌集のなかからこの歌、わざわざおさがしやしたんどすか。大へんどしたなあ」

と聞き、そういわれると由良子は一瞬きょとんとして、

「拾遺和歌集？　そんなんやおへん。いつぞや隅倉の伯父さまに香紙切を見せて頂いて、小大君のその歌、上の句だけずっと覚えてましたもんどっさかい」

と赧《あか》くなりながら説明すると、不秀はうなずき、

「どこぞでこんがらかったかも知れまへんなあ。この歌の下の句は、あくるわひしきかつらきの神、どす。拾遺和歌集に載ってますにゃけど、ひょっとしてごらんにならはったんは、三十六歌仙の巻物と違いますやろか。佐竹本のなかには小大君の絵と、この歌が書かれてあるちゅう話、私も聞いたことおっさかい」

と説明するのを聞いて由良子はあっと思い、うろたえて返事も出来ずにいるのへ、不秀のほうも、窓の外にすっかり夜の明けたのに気付き、あわてて、

「ほな、お先に」

と会釈して出て行った。

続いて由良子も夜具を畳み、身じまいしながら、不秀の知識と素養に舌を巻く思いであった。日頃から茶湯の道の広さ深さは知っていても、掛物ひとつについてさえ、詞《ことば》の出典をしっかり読み、その上に茶器価録、茶器便玉集、茶器名形篇ほか、おびただしい参考資料も頭に入れ、茶人の好みもいちいち心得ていなければならないし、また身につけるべき教学おびただしく、道はどれほど辿《たど》っても尽きることがない。話には聞いていても、実際にどれだけのものを会得しているのか、外では計りしれないだけに、咄嗟に佐竹本の歌を思い出した不秀の才には、敬服というより他なかった。それに較べ、茶家に生れながら自分の生かじりが恥かしく、これからのちは不秀を師とも恃《たの》んで悔いなしと思うのであった。

馬には乗ってみよ、人には添うてみよ、とはまことに的を射た諺《ことわざ》であって、添うてみれば夫としての不秀は、由良子にとって申し分なく有難く、また頼もしいひとであった。一つ屋根の下で四六時中一緒なのだから、いままでとは何ひとつ変ったことはあるまい、と内心たかをくくるところ無きにしも非ずだったけれど、夫婦としての一体感が成り立ってみれば、毎日はずいぶんと違ってくる。

第一、どこで何をしていても、いつも背後に不秀の目を感じており、由良子が手に余るほど重いものを持っていたり、たくさんの洗濯物にあぐねていたりすると、すぐ飛んで来て助けてくれるし、水を汲んでくれたりする。仕事だけでなく、卓袱台《ちゃぶだい》を囲んでの家族の話に、めったと口を差挟まない由良子がたまに発言すると、必ず不秀はその肩を持ってくれ、暑いといえばともに暑いといい、寒いといえばその通りだと同意する。

そうなるとしぜん由良子も不秀の味方に立ち、お互いの気兼ねもすっかりとれて、強力な連携が出来上ってくる。ただ、いかに固い繋《つな》がりがあろうと、二人してこの家の采《さい》配《はい》を振ろうとするような大きな態度のいささかも生じなかったのは、二人ともきちんと分を弁《わきま》えているためであったと思われる。

由良子は、夫婦てええもんやなあ、と日が経つにつれて思うようになり、まるで冬日の日向にぬくもっているようや、としみじみ感じている。こんな心地のなかで思えば、いままでこの家で過して来た少女時代はいかにも寒く冷たく、よくも我慢ができたもの、とまで考えたりする。

一日の仕事を終えたあと、二人して茶の間で夜なべするのも楽しく、この時間、不秀がひもとくさまざまの茶湯関係の書を由良子もわきからのぞいて、知識を身につけてゆくのも有難かった。不秀はいつも繰返し、

「私は体ひとつの修行どっさかい、何にも持ってしまへん。折角連れ添うて頂いたのやさかい、せめて簪《かんざし》のひとつでもお贈りしたいとおもいますにゃけど。どうぞかんにしとおくれやす」

と控えめにいい、それに対し由良子は、

「そんなもん、何も要らしまへん。こうしてものを教えて頂くのが何よりの宝になりますもん」

と返していたが、あるとき不秀が、

「あんたはんご自分の茶杓《ちゃしゃく》、持っておいやさへなんだんどしたな。私に一本削らしとおくれやす。記念に心こめて作らしてもらいますさかい」

といいだし、由良子もそれを嬉しく受けることにして好みを述べた。

細身で撓《たわ》み少なく、節無しで寸法短いもの、という注文に不秀は驚いて、

「無節の茶杓とは、珠光《じゅこう》さんのもん以来どすなあ。紹鷗《じょうおう》さんは切止めに止節で残さはったし、利休さんからは節はみな中におすのどすけどな。そやけど無節とはおもしろおすなあ。裏の竹切ってやってみまひょなあ」

と応じ、仕事の暇をみつけて藪《やぶ》に入り、手頃の竹を選んで割り、毎晩膝の前だれを竹屑《くず》だらけにして由良子の望みどおりのものに仕上げてくれた。不秀が新妻のために精魂込めて削っただけに、まことに姿良く、櫂先《かいさき》に煤《すす》景色を残してあり、これに添えて面はやさしい総削りの筒もともにこしらえてくれた。

「銘は宗匠にお願いしまひょなあ」

という不秀の乞いを入れ、円諒斎はこれにえにし長かれと、一字の「帯」という銘をつけ、書付けを添えてくれたのであった。

何はなくともこれに勝る贈り物はなく、由良子は押戴いて自分の箪笥《たんす》の底に蔵《しま》ったが、それにつけても思い出すのは、丸太町の道具屋に売払った祖母の茶箱のこと。あれを見つけてひそかに隠したとき、由良子は無意識のうちに、将来これを自分の連合いとなるひとに贈りたいという目論《もくろ》みを秘めていたのではなかったろうか。

このことを不秀に聞かせるべきかどうかと迷っていたが、茶杓を贈られた礼と、何もお返しするものを持たぬ詫びとを兼ねて、或夜、由良子は、いままで誰にもいわなかったこの顚末《てんまつ》を不秀にすべて打明けた。茶箱の件だけでなく、十一歳の由良子だけが聞いたと思われる鞆子《ともこ》の今生のいい置きについても、

「いまでも合点のいかんことやと思てますのえ。お祖母さまの姉さまに当る件歌子という方のお墓へ私を使わして、もうこれ以上自分を苦しめんといとおくれやすていわはりました。お祖母さまはなんぞ悪いことでもおしやしたんどっしゃろか」

とそっくりそのまま飾らず話したところ、不秀は、

「そうどしたか。そうどしたんか」

といく度も深い嘆声を発しながらうなずいた。

新婚時代の閨話《ねやばなし》というのはつい度を過し、翌日は寝不足に悩まされることになるが、それが一つ家に育って来た男女なら話題はすべて共通しているだけに、お互い語りたい内容はたくさんある。不秀が九歳でこの家にやって来たとき、由良子は三つで、得々斎

没の翌年に当り、このひとのさまざまの挿話も生きていれば鞆子も健在で、また、恭《きょう》又斎《ゆうさい》猶子もまだ二十代と若く、不秀由良子はこれらの人々を眺めながらこんにちに至っている。

二人の夜話は、当然のようにこの家に生きた人々の噂《うわさ》になるが、由良子が、身内のことだけにぼんやりと見すごしてきたのに較べ、不秀は仕事上、わりあい冷静に正確に捉えているところがある。幼いころ、兄弟三人で祖母の口から聞かされたこの家の由来を、由良子は祖母の遺言をきっかけにして改めて夫たる不秀に説いてもらうことになるのだけれど、それについて不秀は、

「後之伴家《うしろのばんけ》の歴史を辿るのは、即ち茶道の道を知ることでもおすのどす。そやさかい、仲先生はこの家のどなたよりももっと深う、詳しゅう学ばれたん違いますやろか。私は不肖の弟子どして、夜な夜な、先生の語らはるのを黙って承るだけどした」

とつつましいいいかたをする。

しかし由良子は、入籍こそしないものの、不秀もこの家の婿ともなれば、業躰《ぎょうてい》の職を離れて単に婚家先の歴史というだけでも知る必要はあり、また知っておいてもらいたく、不秀の語る内容は、祖母の口から聞くのとはまた別の納得のしかたがあった。由良子の抱き続けていた謎については、

「仲先生のお話では、鞆子さまは晩年とくに何ぞに怯《おび》えておいでやったそうどすなあ。

この家の盛んな時代を生きておいでやしたさかい、傾いてくると、いっち先にお気持が参ったんやおへんやろか。

京には古い家が多うて、そこのおうちの方々がよういわはる言葉に、『何百年も続いてると、どこかて火付け強盗、夜逃げ勘当の一人や二人出てない家はおへん。そやけどうちは人殺しだけは誰もしてへんさかい、これだけは立派なもんや』ちゅうのがおすけど、その返す言葉で、『そやけど伴家のお後《うしろ》はんだけはべつどっせ。あこは垣のうちで血ぃ流したこともありましたそうや』て必ずいわはります。

確かに、四代喜叟《きそう》さまのとき、加賀生れの若党を手討ちになされた記述が残ってまして、聚光院《じゅこういん》の片隅には供養の塚も建てたあります。昔ならま、不埒《ふらち》な下僕どしたら成敗は当り前どしたやろといまは考えますにゃけど、当時もお手討ちは大事件どして、このため喜叟さまは加賀藩より閉門仰せつけられたあと、お役ごめんにならはりました。ほして次の五代右叟さまは三十二歳、六代利叟さまは三十三歳と続いて夭折《ようせつ》され、後の血筋はここで絶えてしまいますなあ。そやさかい七代は前家から入って頂いたんどすけど、この万叟さまも二十五歳で果敢《はか》のうなられ、八代もまた前からおいでて頂きました。

三代続いての若死にともなりますと、家の内外、あの若党の死霊の祟《たた》りに違いないと恐れ、改めて法要を営み、成仏を念じたこと、これは記したもんがおすのどす。ほしてようよう落着いたかに見えて、八代光燈秀堂さまは五十九歳までご存命遊ばしましたんやけど、次の九代岩翁《がんおう》玄秀さまのときの天明八年、いまだに話の種になるあの大火に遇い、前後武者《まえうしろむしゃ》の三家とも丸焼けになってしまいましたんどす。

もう百年も前の話どすけど、京都に生れたもんはこの火事のことを忘れたらあかん、て私も母親にようい われました。朝の五時頃、宮川町の団栗図子《どんぐりのずし》から出た火は、折からの強風に煽《あお》られてみるみるうちに拡がり、北は鞍馬口《くらまぐち》、南は六条、東は鴨東《おうとう》、西は千本通り、これだけを焼き尽し、家だけでも三万七千軒、寺が二百、神社が三十余り、皆灰になってしもうたていいますなあ。こんな大火にすっぽり呑み込まれれば、三家とも助かるはずもおへんにゃけど、惜しいことにはその焼跡から盗まれたもんがぎょうさんおしたそうです。

茶家には釜をはじめ、花入、建水《けんすい》、金気のもんがいろいろおして、火被っても、まだ十分使えたんを、火事場泥棒に皆持って行かれたと申します。もっともここだけやのうて、焼跡から掘り出した金具の売買が流行《はや》り、仏具のあるお寺さんは自分で灰かき人足を雇うて、盗まれんよう用心したそうどすさかいなあ。

ここ切抜けて岩翁さまは、いまの明日庵やこの松隠席などを再建なさり、翌年には利休さん二百回忌追善茶会を催さはりました。火事ですべてを失うても、この頃はまだ後に加賀さま、松平さまが控えておいでになり、門弟にも身分の高い方がぎょうさんおいやしたさかい、無理しても大寄せの茶会もできましたやろし、またそうすることによって後之伴家の名も挙がったちゅうもんどす。

そしてあんたはんのひいお祖父さまが十代を継がはったころには道具も揃い、五代右叟さま百年忌、八代光燈秀堂さま三十二回忌をこの松隠席にて営まれ、お二方のお好みの物で道具を組まはったこと、記録されてございます。

この十代有徳斎《うとくさい》は、お祖母さまからお聞き及びやと思いますけど、穏やかで徳のあるお方やったらしおすなあ。人さんが、あのお方は格別何もせえへんのに、ひとりでにええお道具が集るって羨《うら》やんだとか。

私がこちらへ寄せて頂きましたとき、お倉のなかには秀旦さまゆかりののんこう香炉や、「松風」の茶杓、また東福門院さまより拝領の仁和《にんな》寺焼茶入など、立派なもんがぎょうさん並んでました。

火事で焼けてしもたのに、短い期間にようも集めはった、て皆さん感心してはったそうどすけど、加賀藩松山藩からの懇《ねんご》ろなお見舞を頂いたかも知れまへんし、或はまた、火事跡の復興で、町のなかの焼け残りの道具類がよう動いて、手に入りやすかったていうこともおしたやろと思います。

しかしお倉の棚にほぼ空きがないほど道具類が集りましたんは、十一代得々斎《とくとくさい》さまの世になってからやおへんやろか。得々斎さまというお方は、この後之伴家お歴々の宗匠のなかでも一入抽《ひとしおぬき》ん出たお方どして、いずれ中興の祖というお名を差上げんならんと、ただいまの宗匠もつねづねいうておられます。

あんたはんのお祖父さまどっさかい、いろいろなお話はお耳にしといやすと思いますけど、十歳でこの家へご養子に入られてからのご修行のきびしさは、私いまだになお仲先生からも聞かされるのどす。養子縁組のお約束が出来て、いよいよこちらへお見えにならはったんは文政二年の春やったと伺うております。夕暮、玄関に訪う声に当時の業躰《ぎょうてい》堀内、薄井の二人が出てみますと、前髪を落したばかりと思われるいとけないお子と、お供の侍のお二人だけ三和土《たたき》に立ってはったそうどすなあ。

小身というてもお大名のお子やさかい、さだめし行列作って、お入りの日を予《あらかじ》めお申越しかと思うていましただけに当方は拍子抜けし、何度も伸び上って、お二方の後にまだお人がおいいひんか、眺めましたとか。しかもお供の、これが仲先生のお父さまの仲忠蔵さんどすけど、このお方が担いでおいでた荷物は挟み箱たったひとつきり、ほしてその中開けたら着更え少々と大小一揃い、それに何故か関守石が一個入ってただけやったそうどす。

これについて仲先生は、君松君が側室のお腹どしたさかい、こんな仕打ちで家を出されはったのやというお方もあれば、またお小さい頃から気性激しく、手に余るほどの暴れ者どした故に、一旦着のみ着のままで伴家へやり、ほど経てお支度を送り届けたという話もおすていうてられます。ま、松平家は一万六千石のお小名さんどしたし、そんなにご内福やったちゅう噂もお聞きしてまへんさかい、真実はこの二つのお話のまん中あたりやったんと違いますやろか。

ただお腰のものはなかなかのお品で、相州物の新刀どしたそうどす。松平家はどなたさまも文武両道にすぐれ、徳川幕府末期にはお身内から老中に任ぜられてもおりますだけに、得々斎さまも資質秀でたお方やったと私もお察し申上げてますのやけど、それだけに町人にならはったのは、お心のうちできつう口惜《くや》しい思わはったとも考えられるのどす。ときどき、お父上からお形見に賜ったというこの大小の鞘《さや》を払い、じーっと長いこと眺めてはったとも申しますし、また、きびしいお茶の稽古のあとでは、裏の藪の前で木剣の素振りをしてお気持を紛らわしといやしたとか。これは仲忠蔵さまがずっとおそばに仕えていてのお話で、得々斎さまは一滴の涙も見せず、一言も三河へ帰りたいともこぼさはらへなんだんどすけど、そのお胸のなかは激しい思いが渦巻いておいやしたに違いない、とつねづね申されたそうでございます。

この家にはそのとき、先代有徳斎さま、舌家《ぜっ》からおいでられた室の秀江さまとのあいだに歌子さま鞆子《ともこ》さまという三つ違いのご姉妹がおいやしたこと、私が申すまでもないことどすわなあ。ゆくゆくは順序に従うて歌子さまをめとり、十一代を継承する運命どして、また実際、それは何のさし障りものう運び、お二人のご婚礼は、お二人同いどしの二十一歳のときとも、二十三歳のときとも聞いております。このとき、妹を先に嫁《かた》づけてのちにしたいと歌子さまがおっしゃったとか、仲先生が聞き齧《かじ》ってはりますけど、口さがないお人たちは、このお三人が十歳のときから一緒に育ってますことや、ま、どちらかというと鞆子さまのほうがすべてにあしらいよく、お美しいということなどにかこつけて、興味深いお話を作らはります。

つまり得々斎さまは鞆子さまのほうと互いに想い想われる仲やったんを、決まりどおり姉さまのほうと心ならずも夫婦になってしまわれた、妹は泣く泣く他家へ嫁がされたものの、二人はそののちも決して忘れることがなかったとか。これについて忠蔵さまは、二人のあいだにそんなお気持がほんまにあったやら無かったやら誰も知らへん、とおっしゃり、ただ、鞆子さまの嫁ぎさきについては母親の秀江さまがご自分の実家へと差配なされ、お相手は年下のおいとこさま故に鞆子さまはあまりお気の進まぬまま、舌家へ嫁《ゆ》かれたということはお話ししてはりました。

ほしてこのまま納まればまあ何事もなかったんどすけど、歌子さま三十三歳のとき、突然亡くなられたんどす。

話がわき道へ外れますのどすけど、忠蔵さまは得々斎さまに心魂込めての生涯奉公で、わしはこの家に端居したまま終る、そやさかいめんどうな女房子は死ぬまで持たん、と決めて、事実、影のかたちに添うように得々斎さまにお仕えしやはったんどすけど、得々斎さま三十歳のとき利休二百五十回忌を催され、それを機にいまの兜門、玄関、拙々斎、その他建て増しや修理をなされ、これで後之伴家の名を拡めはりました。

この普請と行事がすべて終ったあとで、得々斎さまは忠蔵さまに強く妻帯をすすめられ、心ばえのやさしい、下働きの雪乃さまと一緒にさせ、ほして仲先生を挙げられたというわけどす。このとき忠蔵さまは三十九歳どしたとか。町人には変らはってもお侍さんの志ちゅうのんはまことに堅固なもんどすなあ。忠蔵さまは仲先生に、お前も親の意を継いで一生この家に奉公し、仮にも心を他へ移してはならん、とよくよく教育なさらはって、惜しいこと得々斎さまよりは一足お先に亡くなりました。息を引取るとき、仲先生のお手を握って、主より先にこの世を出立するほど不忠の行いはない、お前も心して、お仕えする方のご最期をしかと見届けてのち世を終れよ、と懇々とおいいおきをなさいましたとか。

不肖私も、仲先生より受け継いだこのお教えをよくよく守り、宗匠に先んじることは決して決しておへんのどすさかい、どうぞ安心しとおくれやす」

と不秀は長い物語のなかでいつもこのことを繰返し、頼もしい笑顔を見せるのを、由良子は安堵して闇のなかでぼんやりとその輪郭を辿るのであった。

鞆子の言葉の解明については、不秀なりの推測もあり、

「どこの家でも、人に聞かせとうないことには蓋《ふた》をしますなあ。そやけど、蓋の隙間から洩れてくることが次第に世間に拡がり、蓋の中身とは違う噂になることも多いのどす。

歌子さまが亡くならはった原因について、忠蔵さまのお言葉では、もともとお躰《からだ》の弱かったお方やさかい、急の病いに保《も》ちこたえられなんだとも、そしてえらい難産で敢《あ》えなくならはったとも仲先生にいわはったよしどすけど、噂の広がったのはそのあとどす。

歌子さまが亡くならはったんは弘化二年の一月はじめ、ほしてそのあくる年の二月には舌家から鞆子さまが戻られ、後添いさんになられましたなあ。これについて、得々斎さまの剛毅なお気質を知るひとたちは、相思相愛の鞆子さまを取戻したさに歌子さまを殺さはったてささやき合うたそうどす。それも、愛用の相州もので一刀のもとに、などと、まことしやかに流され、それがもとで鞆子さまはいっとき床に就かれてはったらしおすなあ。もっとも、それも忠蔵さまは、悪阻《つわり》どしたて仲先生には話されたそうどすけど。

こういう噂のもとはすべて、一旦他家へ嫁づいた娘をもとに戻したことにかかってますにゃけど、これはなあ、あんたはんもすぐお気付きどすやろ。歌子さまみまかり、得々斎さまがよそさんから後添いさんもろてしもたら、後之伴家はここで絶えてしまいますもんなあ。かつて五代、六代と後継ぎが若死にされはった折、前家《まえけ》から来て頂いたんどすけど、得々斎さまの場合は家元は立派にいてて、血筋の絶える心配どしたさかい、親戚一同談合の上、舌家に掛合うて、両家円満にそうしたとも申します。

しかし、噂はその後も根が絶えず、折に触れ鞆子さまの耳に入って苦しまはったらしおすけど、どうやら輌子さまは生んだ子を舌家に置いて戻ったらしゅうて、その子のことが気がかりなんと、これはまあ私の下衆《げす》な推量どすねけど、やはりお二人は好き合うておいでやなかったんどすやろか。事実、得々斎さまと歌子さまとの間はさらりとしたもんやったて、それに較べて輌子さまとは仲睦《むつ》まじゅうて、じきに玉のような男のお子を挙げられましたさかいなあ。

私思いますのに、歌子さまがお子も無くずっとご存命でおいやしたら、お血筋の件はいったいどうなったやらて。前家、武者家から年の合うたおひとを頂いて来るとか、ま、それはそれで方策考え出さはったかとも思いますけど、やっぱり人さんの女房に納まってるお方を連れ戻すちゅうのは、世間からさまざまな臆測を浴びる原因となりましたやろ。

その上に、十二代はこれで安堵や、と折角大喜びした二人のあいだのご長男は十七歳の若盛りで亡くなられてしもたんどした。このときのお二方の嘆きは、はた目にもお気の毒やったて、もう二十ほどになってました仲先生ご自身もおっしゃっておられました。ようようお箸《はし》の握れるころから得々斎さまおん自ら、手を取って帛紗《ふくさ》捌《さば》きから教え、十歳のとき、真如斎という茶名まで与えて成長を楽しんではりましたのに、風邪がもとでとうとう惜しいことになってしまいましたんどす。

輌子さまはこのあとしばらく、死霊の祟りや、死霊の祟りやていわはって、ご祈禱《きとう》師を招いて家うちのお祓《はら》いばっかりしといやしたんやけど、仲先生のいわはるのに、得々斎さまも、このときを限りがっくりお年を召されたようやったとか。何しろ五十三歳で一人息子に先立たれたんどすもんなあ。

鞆子さまはそれからずっと、念入りに歌子さまの御魂を祀り、ご供養を怠らはらなんだご様子どしたけど、あんたはんに聚光院《じゅこういん》への代参を頼まはったんは、もうご臨終の近いのをご自分でも悟り、この家が昔の隆盛を取戻すよう、いまわの際のご祈願どしたやろ思います。

同じ場所で、同じ職で、何百年続いてきた家ちゅうのは、ほんまにいろいろなことおすもんどすなあ」

と、いく夜もかけて、不秀から祖母の言葉を解いてもらってみると、由良子はいまにして合点できる事実がいくつもある。

それにしても自分のもの知らずのこと、不秀はそれを、家つき人間の鷹揚《おうよう》さ、といい、業躰はそれが修行のはじまりという。ならばまだ聞きたい話は山のようにあり、長いあいだ疑問として誰にも糺《ただ》せなかった自分の出生について、不秀の知る限りの事実を、由良子は教えて欲しかった。

第七章　いよさま

「明治からこっち、何も彼も新しなったちゅうても、まだまだ女子《おなご》は男の下に付くもんやという考えかたがおすなあ。ここから発してるのやと仲先生はいわはりますけど、人の生れの、お腹のことは口にせんもんや、と私は教わりました。

　つまり子は家のもんどっさかい、外腹であろうと正腹であろうと、またよそさんからもろうた子であろうと、そんなこと一切関わりないちゅうことで、知ってても黙っててあげるのが人の道やて、仲先生はいまでもなお説かはります。

　そやさかい、あんたはんのお生れも、かねてから聞いて知ってても、私は自分の墓の下まで持って行くつもりどした。或は、忘れてしもたげよ、とも思うてました。そんなこと憶えててもちょっともええことおへんし、むしろ災いがあるのやないかとも考えるのどすけど、いま、あんたはんがひそかに妙寿庵へ訪ねて行かはったてお話、打明けてもろて、ほなら私も、知ってることは全部お伝えしたほうが、かえって隔てがとれてえぇのやないかと思うのどす。折角、私のような者《もん》の女房になってもろたのどっさかいなあ。それに、母さまはもうこの世にはおいやさへんのやし。

ただな、くれぐれも申上げときとおすのは、この話、お聞きやしたあとで、真鏡院さまに親としてお仕えするお気持、ちょっとでも変えたらあきまへんのえ。ま、お知りやしたんは十のとき、以来、もう十年、世間にはほんまの母娘《おやこ》として通してきましたさかい、いまさらあんたはんも俄《にわか》にてのひら返すみたいな様子はなさらへんとは私、信じてますのやけどな。

そうどすなあ、やっぱり昨日の続きの、この家の歴史から説明してったほうが、ようお判りと思います。

ほんで、跡取りの真如斎さまが十七歳で亡くならはったのが文久二年のことどす。このとき、下には四つ開《あ》きの真鏡院さまがもう十三になっといやした。真鏡院さまはいまでもきりっとお美しゅうて、ご気性もしっかり遊ばしておいやすのどすけど、兄さま亡きあと、どれだけご両親さま、ご親戚一統の声望を担われたか、容易に想像がつこうちゅうもんどす。

このときから真鏡院さまは、将来家元として立派に勤まるよう、伝来の特別稽古を始められ、ご指導は二十一歳の仲先生が当りました。むろん得々斎さまも、後継者の急死でいたく身にこたえたと申しましてもまだ五十三歳どすし、それに、時代はご一新前の激動期にさしかかり、上《うえ》つ方々《かたがた》は茶湯どころではのうなりつつあるとこどす。奮起一番、かかる時代こそ茶の湯の精神に徹し、時勢の波を乗り切るべし、と叱咤《しった》遊ばし、日夜みずから先頭に立ってご精励のよしでございましたとか。得々斎さまに続くは同じ三河武士の血を引く仲先生、と揃いますれば、いきおい真鏡院さまのご修行もいかなるものやったか、あんたはんにもようお判りのことどすやろ。

また真鏡院さまも、まわりの期待に十分応《こた》えられるほどの才能を、天性お持ちの方どして、十五の春からはもう家元の代稽古にお立ちにならはりましたそうどす。この辺りから京都はまことに騒々しいなりまして、暴徒はびこり、新選組は町に溢《あふ》れ、毎日のようにお事《こと》が起ります。元治《げんじ》元年の夏にはとうとう蛤《はまぐり》御門の戦《いくさ》がはじまって、京の町は鉄砲焼けでまた見通しがようなり、治安が悪うなって町内ごとに夜廻りを怠《おこた》らなんだて、仲先生がいうてはりました。

続いて慶応に入り、鳥羽伏見の戦もあったり、京の町を吹く風は血なまぐさいといわれるほど暴力と恐怖の巷《ちまた》となりましたんどすけど、こういうときやっぱり得々斎さまはお偉うおしたなあ。茶湯の勃興《ぼっこう》は、かの応仁の乱のあと、興隆は戦国時代、いま天下乱れて人心定かならぬときこそ一服の茶湯をたしなむ心得こそ大切、といっそうお稽古に拍車をかけはったそうでございます。

お倉のなかの書き物に、慶応元年六月、十一代得々斎秀室、かねてより中院家を通じておん伺い奉りし孝明天皇への献茶の儀、お許しの沙汰下り、中次に濃茶《こいちゃ》詰め、自作の茶杓とともに謹みて献上す、とあり、翌二年には和巾点《わきんだ》ても復興遊ばしてご披露なさらはりました。

ほんまにこの十一代さまはお後《うしろ》の家にとってこの上ないお方どして、こんにちの茶湯の基礎をがっちり固め、立礼式、茶箱点て、大炉の扱い、和巾点て、皆、考案され改良され、お家のものとなさらはったんどすなあ。おかげさんで私どもそれをそのまま受け継がせて頂いてるのどすけど、どれもまことによう考えて決めはったお点前どして、いささかの無駄なく、美しく、しかも用に徹してはります。ただいまの宗匠、円諒斎《えんりょうさい》さまも、一生かかってもお祖父さまを上越すことはとてもむずかしい、などと弱音を吐いてはることもおすのどす。

そうどすけど、まもなく幕府の大政奉還、王政復古、ほして明治に移りますとすぐに版籍奉還、廃藩置県どすなあ。そうなると、人のさだめもまことにさまざまで、昨日に変る零落の道を辿《たど》るお方もおすし、今日はまた俄《にわか》に明治新政府の重要なお役につかはるお方もござります。当然この家の門生の方々のお暮しも激動に見舞われ、茶湯をお捨てになるおひともあれば、ほかさいでもしぜん疎《おろそ》かにならはるのも無理からぬことやったと思います。

ただ、まだこのころは、何というても得々斎さまの存在が大きゅうて、京都に在るご大家の方々がお後を支え合うておいやしたとか。そのうち、真鏡院さまもお年頃になり、二代続いての入婿捜しになるのどすけど、得々斎さまはもはや武家からは要らぬ、と固く仰せ出さはったそうどすなあ。ご自分の経験に照らし合わせてのお考えでもおしたやろし、また、ご一新で武家が崩壊していくさまをしっかりと見届けたちゅうこともありましたやろ。

これからは町人の時代やていわはって、京の町のしかるべき商家から頂きたい、とずいぶんお捜しにならはったて聞いとります。そやさかい、お話の決まりましたんは真鏡院さま二十二歳で、これはどう見ましてもちょっとおそいご結婚や思いますなあ。もっとも、このことについて仲先生は、『真鏡院さまがあんまりお賢こ過ぎたんや。お美し過ぎたんや』ていわはり、目から鼻へ抜けるようなお頭《つむ》、牡丹《ぼたん》のようなお顔立ち、あやめのようなお姿、と口を極めて讃《たた》えはります。そのとおりに違いおへんやろとは私も思いますにゃけど、こうお言いやす仲先生のお口ぶり聞いてますと、ひょっとして仲先生は真鏡院さまのことを、生神さまとあがめまつり、信仰しといやしたんやないかとさえ感じられるのどす。

いや、これは、仲先生のこと私もいえた義理やおへん。円諒斎さまは私にとって唯一万能の生仏さま、もし円諒斎さまが死ね、と仰せ遊ばされるなら喜んで死ぬほどの覚悟は持ってるつもりどす。何や口に出してしもたらいやらしい聞えますけど、やっぱり業躰《ぎょうてい》ちゅう者は、お仕えしてるお方で目のなかはいっぱい、よそは見えへんもんやし、仲先生のご奉公ぶりに私はしんから敬服してますところどす。

ま、真鏡院さまの縁談の遅れたんは、仲先生の念力やなんぞとは、そんなあほらし話は聞き捨てにしとおくれやす。きっと帯に短し襷《たすき》に長しで、つろくするお相手がすぐにはみつからなんだんと違いますやろか。

ほして明治四年の年が明け、老分《ろうぶん》の大津秀恭さまが早々に持っておいでのご縁談が隅倉家ご次男さまでございました。隅倉というたら京都では誰知らぬもののない大富豪どすけど、明治二年には高瀬川の川船から通行料を取立てる支配権を新政府に停止され、実入りの道が途絶えたとこどしたとか。

そやけどな、隅倉は御祖《おんそ》徳秋さん以来、柳庵さんまで十六代もかかって貯えた来た巨大な富を抱えてはるおうちどす。家邸はたった四両の金で政府に没収され、舎密《せいみ》局、欧学舎、織殿などに当てられてしもたんどすけど、家のなかのお道具はご随意、ということやったし、このお宝で隅倉はまだ二代三代は何もせんかて大丈夫やていわれてました。

大津さまはここに目をつけはったか、得々斎さまが強く望まれたんか、話はうまくまとまり、明治四年の四月十五日、それはそれは仰山のお道具を持って、恭又斎《きょうゆうさい》さまはこの家に婿入り遊ばされたんどした。ま、こう一口にお話したら、順調にお事が運んだように聞えますのどすけど、実際にはいろいろと揉《も》めたんやおへんやろか。なんでなら、このとき恭又斎さまは十九歳で真鏡院さまは二十二歳、ま、それはよろしおすけど、隅倉のお父上、真宮さまはすでに亡く、ご嫡男の柳庵さまはまだ嫁さまなしのお独り身で、後見は姉さまのお連れ合い、紀州の磯江為之丞《ためのじよう》さまが勤めといやした。養子にお出しにならはるのやさかい、兄さまを差しおいて先に婚礼、というてもかましまへんのどすけど、隅倉としては、望まれて行くのやったらただちに後之伴《うしろのばん》家《け》の家元として迎えられたいという希望がおしたらしおすなあ。

これについては私も仲先生も勉強さしてもろたんどすけど、縁談の際、隅倉さんほうで、『お茶はこっちゃが上や』といわはるとおり、かの了依さまの父さまが秀桂さま、その前が秀和さま、またその前が秀臨さま、と永正のころから村田珠光、武野紹鷗《じようおう》、津田宗及さまなど、名のあるお茶人の方々と親交を持ち、三代続けてお茶名を名乗っており、なるほど利休さまよりははるか以前から、お家としてすでにたしなんでおられました。

お茶ばかりやのうて、お歴代皆、学者でもあり書家でもあり、とくに了依さまのお子、元庵さまのお手は本阿弥《ほんあみ》光悦に学ばれていまに残る隅倉流を編み出し、また隅倉本とも光悦本とも、或いはまた嵯峨《さが》本とも呼ぶ美しい版本をも出さはりました。中身は国文学書やら謡本などどすけど、恭又斎さまのお道具の中にはこのうち、観世の『通小町』『江戸』『求塚《もとめづか》』と、『方丈記』が入ってましたんやそうどす。残念ながら私はよう拝見せなんだんどすけど、仲先生のお話では、まあそれはそれは美しい本どして、二、三字続きの珍しい活字があり、大和綴じていいますか、表紙も本紙も全部きらら紙で、ほんまにうっとりと見とれるような本どしたとか。

これらは茶湯とは直接関わりないのどすけど、隅倉としては、教養のひとつとして他にも能や書を、茶とともに代々深く身につけてたというとこがありますわなあ。隅倉はそれを本業とはしてへなんだだけで、ほんまは利休さん以前にすでに極めてたさかい、婿入りと同時に家元として扱うてもろて当然て望んだのも無理ないと思います。

このお後《うしろ》ではそのとき、恭又斎さまのお手並も判らへんのにいきなり家元とは、と拒まれるご意見と、ご本人よりも持っておいなさるお道具頂くのが目的やさかい、他のことは目をつぶろとはっきりいわはるご老分もいやはりましたそうどして、結局、きっぱりした取決めなしにとうとう婚礼の日を迎えはったと聞いてます。

四月十五日いうたら、まだ名残りの花も見られる季節どして、その生あたたかい春の夕暮れ、高張提灯をともしてはじめてこの家の玄関に立たはった恭又斎さま見て、そのあまりのお美しさにお後の皆、誰も大きな嘆声をあげなんだ者はいなんだて申します。鼻筋通り目もと涼しく、十分に上背もあり、まるで松島屋や、河内屋や、いやちがう市《いち》松さんみたいや、とざわめく中で御祖堂のお詣《まい》りをすませてのち、婿の座に落着かはった恭又斎さまの脇で、これまた真鏡院さまも負けず劣らずのお美しさ、とてもお年上とは見えず、まるでお二方は内裏雛《びな》のようやった、といまでもその光景を覚えてはる前家《まえけ》の方々は折に触れ、おいいやすそうどす。

ほして、婚礼も無事終ったそのあとのお家のなかの様子どす。二代続いての入婿で、しかも先代は武家から、まして十のときからの石と鋼《はがね》のご修行どす。それに対し新らし婿さまは、大金持ちの坊《ぼん》さまで、もう十九におなりどすし、厄介なことに結納のさいの、最初から家元にという取決めもおす。これで家のうち何事もなかったらかえっておかしなもんどすわなあ。

それに、恭又斎さまには隅倉からお乳母さんおひとりついておいでてはりました。ほんまは下男下女仰山お供を従えて婿入りさせたい思いも、隅倉のほうにはおしたやろと思いますけど、こっちゃではとてもそれほど受入れることは出来しまへんし、また隅倉も家が傾きかけたときどしたさかい、やむなく小さい頃から恭又斎さまをお世話申上げたお郁《いく》さんおひとりにとどめたんどした。

このお郁さんはまあほんまに恭又斎さまの身の廻りのお世話をこまごまとなさいましたそうで、少々出過ぎやないかと家中申しましたそうな。

恭又斎さまは三人兄妹のおとんぼどすし、お父上さま亡きあと母上さま兄さま姉さまのおいつくしみも一入《ひとしお》深かったとお聞きしてますけど、お郁さんを見てるとその様子がはっきり読み取れるような、ご奉公ぶりどしたとか。

ま、我々かてそうどすけど、主への忠誠はどれほど尽してもこれでよし、ということはあらしまへん。ただお郁さんの場合、かんしょ病み、ていいますのんか、並み外れたきれい好きどして、ちょっと度を越してるようなとこがおして、それを恭又斎さまの子供のころからしっかりお教え申上げたらしおすなあ。

例えば、若さんはお身分の高いお方どっさかい、この世の穢《けが》れを見たり触ったりしてはあきまへん。もしそんなことがおしたときは塩できれいにお浄《きよ》め遊ばしとおくれやす、ておすすめし、恭又斎さまはずっとその通りを守ってはりました。お手水《ちょうず》のあと、客にお会いになったあと、履物《はきもん》など下のものに手が触れたあと、必ず塩を使うて手をお洗いになりましたけど、ま、何よりも、いちばん汚ないのはお金や、と仰せられて、これはとりわけてお嫌いにならはりましたなあ。

何でも昔、棟上げの餅投げの際、小粒金を紙に包んで撒《ま》いたところ、争うてそれを拾う人のあさましさを見てつくづく金というもんが嫌になった、とも仰せられたように伺いましたけど、誰しもそうは感じましても金と縁を切ることは叶《かな》いまへん。そやけど恭又斎さまはそれが通るお方どした。

こちらへおいでになられても、金の勘定は一切遊ばさず、相談を持ちかけられても眉《まゆ》をしかめてお嫌いにならはる、よんどころ無《の》う金に触ったあとではさっと井戸端へ立って、塩で手を揉《も》み、いく度もいく度も浄めはりました。金ってもんはどこの誰が弄《つつ》いたもんか判らへん、卑しいし汚ない、と口のなかまでゆすいではりましたわ。

そやさかい恭又斎さまおいでの頃は、この家のどこにも浄めのための塩壺と、盛り塩がしておした。これはあんたはんもすぐに思い出さはりますやろ。一度、蹲踞《つくばい》のわきにまで塩を盛り上げてあるのを見て、得々斎さまが大そうお怒りになり、『茶の湯の作法は、ものの理《ことわり》と本筋をすべて弁《わきま》えた上で取決めてあるのに、さらに塩を使うてまで浄めんならんとはどういうことや』と直ちにそれを退《の》けてしまわはったこともございました。

茶道では帛紗《ふくさ》の役割は広うおすけど、その第一はものを浄め、慎しんでおもてなしさせてもらうちゅうことどす。そやさかい、茶人はいつでも身から帛紗は手離さしまへんなあ。

蹲踞かてちゃんと意味があります。客はここで手と口をすすぎ、浮世の塵《ちり》を払うてのち茶室へ入りますのやさかい、お招きする側は殊更に丁寧に掃除し、清い水を張ってこの水を使うて頂くのどす。

このように、お招きの気持の根幹は、もの皆清潔に、すべて汚れのないものを差上げるちゅうことどっさかい、その上にまだ塩で浄めるのは、もひとつ踏込んで考えたら茶湯の精神にもとるともいえるのやおへんやろか。いやこれは、塩をめぐって家のなかで繰返し論じ合うたことらしおすけど、小さいときからの習慣はなかなかに直し難《にく》かったらしいて、得々斎さまはまずお郁さんを引き離し、お向いの本法寺へ出さはりました。

このお方はお針の腕が立ちましたさかい、家中の縫物を頼んでおけば、こっちゃへ来て恭又斎さまの世話を焼く暇ものうなりますし、恭又斎さまのほうでも、お郁お郁と頼らはらへんようになるという目論見どしたらしおすけど、やっぱり主と離れたらさびしおしたやろか、本法寺へ行って半年もせんうち、お郁さんは亡くならはりました。六十くらいやった、と仲先生はいうてはりましたけど。

で、恭又斎さまの塩の一件から、家の内外も皆、何とのうこの方の茶湯の腕前を信用せえへんようなとこも出てきますなあ。隅倉のご実家で、家に伝わる名品を使うて小さいときからお茶はみっちりとおやりにならはる、という触れ込みでも、それで立たんならん家と、楽しみにやらはる家とではおのずと心構えが違います。

恭又斎さまのお点前、お好みを見て、まず老分の方々が、これではとうてい十二代家元とは認められへん、と目引き袖引きしてささやき合うたと申します。お茶に限らず、坊々《ぼんぼん》育ちの恭又斎さまの日常も、武家ご出身の舅《しゅうと》さまに気に入るわけもなく、わきでじっとそれを眺めてはった仲先生も、はがゆうてならなんだといわはりまっさかい、やっぱり育ちの違いはどうしょうもおへんなんだやろと思いますなあ。

幸か不幸か、仲に立つ真鏡院さまも、茶湯はなかなかのお腕前どす。夫をかばいとうても、理は得々斎はじめ老分の方々にあると思えば、夫の側に付くことは出来ず、それにご気性からして、恭又斎さまに寄添い、慰めてさし上げることは叶わなんだとお見受けしますなあ。そのうち真鏡院さまは妊《みごも》られ、また隅倉の柳庵さまは弟の苦境を察して、いく度も得々斎さまに『約束どおり早う十二代跡目のご披露をして頂きたい』と談判いたしましたとか。

仲先生の推測では、隅倉ももう潰《つぶ》れる寸前やったし、まだ少々でも目ぼしいものの家に在るうち、披露目をしてもらえば、実家からしっかりと援助もして弟に肩身の広い思いもさしてあげられる、と柳庵さまお考えやったやろ、と申してはりましたけど、それは当ってるかも知れまへんなあ。

そこで大隅倉に押切られたかたちで、恭又斎さま婿入りの半年後、九月には得々斎さまはもと禄を頂いた松山藩、いまの松山県庁と、これも以前のご縁につながる尾州家へ隠居願いを出し、家督を婿さまに譲らはりました。恭又斎さまはお披露目の釜を三十回以上も懸けはりまして、お客さま方には、すんころくの香合、写し物どすけど、これにご自身の箱書きを添えて記念にお持帰り願いましたとか。

この柿香合はごく最近までここにも二個ほど残ってましして、私も拝見いたしましたけど、よう出来てましてなあ。柳庵さまはこの日にそなえて早うから数を揃えて薩摩へお頼みになってはったご様子どす。隅倉のお道具にはご商売柄、南蛮ものなどが多うて、恭又斎さまのお道具のなかにもいくつか水指《みずさし》がありまして、こういう異国のものを混えての道具組みはちょっとおもしろおした。けどお嫌いになる方もおして、そこから十二代の好みはあかん、などという風評も立ったらしおす。

ほして、代は替りましたけど、十九歳の若い宗匠ではご一統を束ねてゆくのはまだ無理どすし、老分業躰を慴伏《しょうふく》させるほどのご器量もそなわってへんのは当り前のことどす。そこで得々斎さまも、じっと隠居なんどしてられへん、とばかりにも一度、襷がけにならはるおつもりで、あれは円諒斎さまお生れの月どしたか、立礼式を編《あみ》出さはり、また、『茶道の源意』という著作も出さはりました。

得々斎さまのご生涯を見ますと、お若いときからずっと、しっかりとお気張り遊ばし、書きものに残るようなお仕事を次々となさらはりましたけど、とくにご隠居ののちのご活躍は目ざましございましたなあ。これは、次第に茶湯離れする世間に対し、最後の気力ふり絞って立ち向わはったお姿とも思いますし、そしてまだ十分とは思われへん若い婿を助けてやらないかん、とのお覚悟やったかも知れまへん。

しかし恭又斎さまのお胸のうちはどないどしたやろ、と思います。ご自分が宗匠やのに、舅《しゅうと》どのが先に立って差図遊ばさはる、しかも人はみなそのほうに付いてるし、ご自分のなさらはることはまわりからことごとに非難がましい目差しで見られる、ほして女房どのも、決してやさしいとはいえへん、いつもおさびしい気持を抱いてはりましたやろ、と私は思いますなあ。

そのせいもおじたか、或は舅さまのご命令どしたか、恭又斎さまはまもなく外へ出稽古をなさらはるようになりました。いままで業躰たちのしてたことどすけど、お家元じきじきのご指導といえば人も集りますし、また恭又斎さまもずいぶんと気散じにもなりますやろ。

そこであんたはんがお訪ねやした妙寿庵が出て来るのどす」

と不秀はここで言葉を切り、改めて呼吸をととのえ、由良子は枕許の財布のなかにしのばせてある母の戒名の書付けを押し戴いた。

「ここへは私、たった一度だけ恭又斎さまのお供をして訪《たん》ねていかしてもろたことがおす。利休さんが建てはった二帖隅炉の待庵がそのままに残ってまして、まあこのお茶室の何とも風情のよろしいこと、私たしか十四の年の春どしたけど、何も判らぬ子供でさえそのよさはしみじみと判り、しばらく呆《ぼ》んやりと坐ったなりで、恭又斎さまに促されたことを思い出しますなあ。

妙寿庵は、室町時代に連歌で知られた山崎宗鑑さんが隠れ家として建てはったとか、のちに春嶽禅師にゆずられ、このお方が事実上開山なさらはったて聞きました。宗旨は臨済、東福寺の末寺やそうどすけど、あんたはんの母さま、いよさまどすか、そのお方の旦《だん》さん竹嶺さんがこちらの住職さんと決まるまで、お寺は長いこと誰も住んではらしませなんだ。

ただ、末寺やさかい、名目上の住職さんはおしたそうで、仏間の文庫のなかにしのばせてあるちゅう寺の系図には、春嶽さん以来竹嶺さんまで、十三代にわたるご当主さんのお名は記してあるていいますな。なにせ昔は、お坊さんは妻帯なさらしまへんし、本山の修行もきびしおっさかい、寺に落着いて安穏《あんのん》に暮すことはできなんだんと違いますやろか。

竹嶺さんといよさまのご縁組のいきさつはもうひとつ判らへん、と仲先生はおっしゃってられましたけど、この無住の寺にはときどき尼さんが掃除に来てて、その方の肝煎《きもい》りで本山から竹嶺さんを差向けてもろたらしおすなあ。いよさまは尼さんの姪御《めいご》さまということどして、若いご夫婦は尼さんの後楯を得て妙寿庵に住みつくことにならはったんどす。

そのうちどないな仕組みになってたのか、竹嶺さんは、本山へまた修行に呼び戻されることになってしもて、婚礼のあとわずか一ヶ月で京へ上らはりました。本山の修行は期限無しどっさかい、竹嶺さんはいつ帰らはるか知れしまへん、ひょっとしてもう一生帰ってはこんかも判らへん、事実、禅坊でそのまま亡くならはる修行僧も多うて、このときお二人はきっと生き別れのお気持やったやろと思います。

妙寿庵では、この尼さんが折ふしおいでになった際、以前からお茶を教えてました。山崎宗鑑さんは油売りの商人どして、その関係でここには油座がおしたさかい、商家の旦那衆のなかにお茶をたしなむ方もぼつぼつおいやして、ときたま妙寿庵に集ってはお茶を点ててたらしおす。

いよさまは、尼さんのご指導でお茶はようお出来にならはったお方やて伺うてますけど、何というてもまだお若いし、そこで家元に出張して頂いて、きちんと茶道教授の道をつけてもらい、夫の留守を守ってはったわけどした。

これがいつごろのことどしたかいなあ。

たしかお郁さんが亡くならはったあとの辺りからやと仲先生はおっしゃっといやしたさかい、明治の六、七年、恭又斎さまが二十一、二歳やったと思います。

さきにも申しましたように、当時の恭又斎さまのお胸のうちは、大げさにいうたら針のむしろに坐ってるような毎日どしたさかい、この妙寿庵への出稽古は、どれほどお気持をのびやかに明るくさせたことやったか、と想像できますなあ。妙寿庵は檀家《だんか》のない寺どして、建物も庭もまだ荒れてたと思いますけど、書院の縁側からは淀の流れも望めますし、まわりは山の緑に囲まれ、京都の町なかのせせこましさとは違うて別天地のおもむきどす。

集るお弟子さん方は皆商人で、恭又斎さまのことを、あの大隅倉のご次男さま、と大事に扱うてくれはります。それに何より、いよさまのおやさしさ、これは万物に勝る恭又斎さまのお心の慰めでありましたやろ、と私、思います。

ここまでお話すれば、いよさまのご出生についても、聞いてることはすべてあんたはんにお伝えせんなりまへんなあ。確かではおへんけど、いよさまは中御門《なかみかど》の八角家の落し子ちゅう噂がおす。お腹はかの尼さんか、それとも他のお方かはっきりいたしませんけど、お小さいときから尼さんが育ててはったのは事実らしいて、私たった一度だけどすけど、お顔拝ましてもろたとき、何ともいえぬお品の備わってはるのに打たれました。おさびしい恭又斎さまが、お公卿さんの血を引くお美しいいよさまに心傾けられたというのも、これはまあ当然すぎるなりゆきどしたんやおへんやろか。しかし一方は妻も子もある茶家の家元どすし、一方はいつ戻るか知れへんものの、これも夫ある身のお方どす。

お二人の仲はすぐ世間に知れ、得々斎さまは激怒遊ばして、恭又斎さまの山崎行きを固くお止めになりましたけど、もうそのときは、いよさまはあんたはんを妊《みごも》ってはりましたんや。このあとまる二年ほど、家のうちは揉め続けたて申しますな。最初は柳庵さまも、弟さまの不始末を懸命に詫びてはったそうどすけど、こちらの皆さんがあんまりきつう、恭又斎さまに当らはるのを見て、のちにはいよさまのお味方についてしまわはりましたとか。

世間の非難ごうごうのなかで、恭又斎さまは看視つきで足どめを食い、いよさまはおひとりで女の子を出産なさらはりました。そのあと、あまり体のお丈夫でないいよさまを案じて、恭又斎さまはある夜、とうとう家を抜け出し、夜どおし歩いて山崎まで訪ねて行かはったと申します。このお気持、いま私にはしみじみと判るような気ぃしますなあ。

舅姑からは、ふしだらな男、役立たずの婿、という目差しを浴び、女房からはいたわりの言葉ひとつかけられたこともない恭又斎さまにとって、いよさまはどれほどいとしく、なつかしいひとであったか、恐らくこの頃から、恭又斎さまはこの家をお出になる決心を固めつつあったかと思われます。

それに、こういうさなか、真鏡院さまがお二人目を妊《みごも》られ、あんたはんが二月生れなら同じ年の十二月、舜二郎《しゅんじろう》さまがお生れやしたんどす。夫婦の仲は他人には窺《うかが》い知ることは出来しまへん。私は真鏡院さまに、人に後指さされるようなことは何もなかったと思うてますのやけど、仲先生はこれについては私には何も話しては下さはらしまへん。一度だけ、私が、『仲先生と舜二郎さまはお声がよう似てはります。お姿見ずにお声だけ聞いたら、間違えてしまいますほどどす』と何気のう口にしましたら、仲先生はふっと気色ばんで、『武市、お前の分際でそんなこというてええのんか。一黙価《あたい》千金ちゅう禅語は何のために勉強したんや』ていわれました。

余計なことを考えたらあかん、と私は自分に鞭《むち》を当て、その目で眺めてますと、恭又斎さまは舜二郎さまをよう可愛がられますし、やっぱりお顔立ちもお二人には相似た点がありますもんなあ。

ほして明治十年の夏、七月の十日には京都中大洪水に見舞われ、この家でも畳を皆上げて二階へ上ってはったそうどすけど、翌十一日の夕方、五、六日前からお具合が悪いと臥《ふ》せってはりました得々斎さまが、俄《にわか》にご他界遊ばさはりました。六十八歳のご生涯どしたけど、虫が知らさはったかその朝ご家族全員を枕許に呼ばれ、一人一人に遺訓を贈らはりました。そのとき、恭又斎さまには『くれぐれも身持正しゅう、生涯しっかりと修行おしやす』とだけで、真鏡院さまにはこまごまと後事を託し、ほして仲先生には手を握って、『猶子《ゆうこ》を頼むえ』と仰せられましたとか。

業躰のなかには、これを不思議なことといい、恭又斎さまに同情する者もいてましたそうどすけど、もとより我々は家元のご内情について、見ざる聞かざるいわざるの立場どす。ただ、このあとこの家はどうなるやら、という不安は誰しも抱いたと見えまして、実際また、得々斎さま亡くならはってからの衰えは、坂を転げるように早うおしたもんなあ。

恭又斎さまはまもなく、お茶の稽古にかこつけて山崎へ通うようになり、留守勝ちともなれば家はおおかた真鏡院さまが取り仕切るようになりました。そうなると夫婦の仲ははた目からでも判るほど冷とうなって、皆行末を案じてたそうどすけど、真鏡院さまも賢いお方どす。

ご自分からひるがえって旦《だん》はんに、生れたお子はこの家へ引取って自分が育てまっさかい、いよさまときっぱり手を切って欲しい、と懇願なさいましたそうどすな。恭又斎さまは受けつけはらへなんだし、いよさまも半狂乱で拒まはり、これも話がもつれ込んでしもてたとき、本山へ出向いてはった竹嶺さんが、いよいよ近く戻っておいでやすて知らせが伝わりました。

そうなると話は違うて来ますわなあ。柳庵さまが仲に入り、竹嶺さんを傷つけんよう、子供は伴家へ、恭又斎さまはもう再び妙寿庵へは足を踏み入れぬ、という約定が成り立ったのは、明治十一年、私がご奉公に上った年どした。いま思うたら不思議な話やと思いますにゃけど、あんたはんがこの家においなはった日のこと、九つの私がなんでかはっきりとよう覚えてますのや。

私が親父に連れられて弟子入りさせて頂いたんは年明けの一月で、あんたはんは三月《みつき》遅れの四月どした。まだ九つの小僧は右も左も判らず、毎日うろうろして過すだけのことどしたけど、夕方、表に人力の止まる音を聞いて走って出て行《い》てみましたら、赤い信玄袋を抱えた恭又斎さまが手をさしのべてあんたはんを俥《くるま》から下ろしてあげてはるとこどした。

稚児輪《ちごわ》に結うたあんたはんは、紫の房のついたかいらしお被布《ひふ》を着てはって、恭又斎さまは父親らしゅうその裾をはたいてつくろうてあげもって、『ええか、挨拶はご機嫌よう、やないえ。ただいま帰《かい》って参りました、え。判ってるな』といい聞かし、私を露払いに立てて皆の集ってる拙々斎へ通りましたんどす。

三つのあんたはんは、私が見てもまことにしっかりとしといやして、並み居るひとの前に手をつき、教えられたとおり、まるで本でも読むみたいにきちんとしたご挨拶をおしやした。ほしたら、そのときまだご健在どしたお祖母さまが目を細めて、『おうおう、ようでけました。うちも女の子が戻ってこんな嬉しいことはない。さ、ここへおいなはい』とてのひらでご自分の膝をはたはたと叩かはったところ、あんたはんはとことこと歩いて行て、お祖母さまのお膝に乗らはった。

円諒斎さまはそれを見てて、『この子、お茶の心得あるのと違うか。畳の縁踏《へりふ》まんようにして、ちゃんと下座から廻って行ったわ』とびっくりしはった声を出し、誰かが『まさか』と打消すとたんに笑い声が拡がって、座敷は和やかでしたえ。

ほして私の知る限り、このあともずっと、家のうちであんたはんが原因の諍《いさか》いというもんは、いっぺんも起りはしませなんだ。また三人兄妹の扱いに差をつける様子なんども、ついぞ見かけたこともおへなんだ、とこういい切ってもかまへんと私は思います。

それにしても、真鏡院さまというお方はよくよく出来たお方どすなあ。私もお仕えしてもう二十年近うなりますけど、このお方が愚痴ったり悔んだり、女々しい振舞いをおしやした様子はついぞ見かけた覚えはおへん。亡きお祖母さまが、『真如斎が死んだあと、猶子はこの家を背負うて女やのうなりました。男になってしもた』とおっしゃられたそうどすけど、ほんま、ご気性は男どすもんなあ。

そやさかい、あんたはんも、思い返さはって、継母にいじめられたちゅうような記憶はございまへんやろ？　あの談合の夜の立ち聞きさえなさらなんだら、案外いまも、ほんまの母さまと信じて疑いもおしやさへなんだやおへんやろか。

それに、こんなこといまごろ申上げるの、面映《おもは》ゆおすし、思い上ってるかも知れまへんけどな。この私も、三つのあんたはんを門の前でお迎えしたときから、心のうちでずっとひそかにお守りしてさし上げたという気持がおすのどす。なんで、と聞かれたらはっきりした答えはできしまへんけど、あの日からあんたはんが家中のどこにおいやしても、私はちゃんと目の端で捉えてました。あ、いま表に出やはった、あ、よう遊んではる、あ、泣かはったんやないか、といっつも気ぃにしてて、いつのまにかそれが、自分の目と心であんたはんの魔除けの役を果してるような気持になってましたんやと思いますなあ。

ほしてな、いまこうしてあんたはんと夫婦になって、一生いわんと過すもんと思てたいろいろな出来事と自分の気持を、毎晩こないに話してますとな、浮んで来ますのは仲先生のお胸のうちどす。

　きっと仲先生も、真鏡院さまのお小さいときから、私があんたはんを気にかけてたんとおんなしように、ずうっとずうっとお心を寄添わせて生きておいやしたんやおへんやろか。こんなこと金輪際《こんりんざい》、口に出してはいかんことどすけど、真鏡院さまのご結婚以来、仲先生はいかばかりのお苦しみやったか、それ思うといまの私はほんまに罰当りどすのや。罰当りますのや」

　と、不秀《ぶしゅう》の声は途切れ、途切れると同時に急にまわりの闇が重く感じられるなかで、気がつくと由良子は全身びっしょりの汗であった。

　春はもうすっかり闌《た》け、夜気も生あたたかくなっており、夜着も下半身しかかけてはいないが、このしとどの汗はそのせいばかりではないように、由良子には思えた。不秀の語る真実はすべて驚くことばかり、幼い頃から祖母の聞かせてくれたこの家の歴史はいかにも目出度く、楽しいお伽話《とぎばなし》のひとつと受取っていたのに、いま不秀の言葉が描き出すひとたちは生々しく人臭く、そしてどうしても聞き流してはしまえぬ近しさがある。

　それにしても、三つの年にこの家に来た自分が、一人で歩くことも出来、教えられた挨拶もちゃんとやりおおせたというのに、いくら思い返してもその頃の記憶が少しも戻ってこないのは、返す返すもくやしかった。せめて生みの母のおもかげの断片なりと、脳裏のどこかにとどめていればなぐさめにもなろうものを、ときどき夢のなかに現われるそれらしいひとはいつもおぼろで、摑《つか》まえどころのないのは悲しい。

しかし由良子は、ここまで聞けば目の前の霧が吹き払われたように、いまにして合点できることがたくさんあり、また同時に、事情を知ったが故の不審も起きてくる。何よりも大きな疑問は、恭又斎の書いてくれた母いよの戒名の、明治十七年十一月十一日没、行年三十一歳、の文字であって、それならば翌十八年十月二十五日、恭又斎が一族に隠居を告げた日には、いよは既にこの世を去って一年近くになっていたことになる。

由良子は子供ごころに、恭又斎といよは深く愛し合い、共に暮したさの一心で、無理な跡目譲りをしていたのだというふうに考えていたので、亡きいよの菩提《ぼだい》を弔う気持は理解できても、たったひとりで妙寿庵へ籠《こも》る恭又斎の胸のうちは推し計れなかった。それについて不秀は、

「仲先生は、歴史を知るちゅうことと、人の影を暴《あば》くちゅうことは別や、といわはりました。暴くのは罪になりますし、私にもほんまのことは判らしまへん。ただ、柳庵さまが亡くならはったあと、隅倉の相続について仲先生と宗匠のお二人が、是非舜二郎さまにと妙寿庵へ五、六日も通わはって懇願なさいましたこと、あんたはんも覚えてはりますやろ。

そやけど恭又斎さまは断じて首をたてに振り遊ばさず、つまりは女子のあんたはんを

立てはりました。この事実をよう考えとおみやすと、何や察しがつかしまへんやろか。もっとも恭又斎さまは一徹なご気質どっさかい、こうと思いこまはったら人さんの言葉にはお耳も貸さはらへんようなとこもおす。

ひょっとして、真鏡院さまと仲先生のあいだを疑うてはったのか、或は何かを摑んではったんかは誰も知らしまへんけど、人には明かせぬ深いお苦しみを抱いてはったんやと思います。私もその時分はまだほん丁稚《でっち》くらいの身分どしたけど、わきから見るところ、やっぱり恭又斎さまにとって、この家は決して居心地がええとはいえませなんだんやおへんやろか。

恭又斎さまがお茶会催《もよお》さはっても、茶のことは俺のほうが上や、と威張ってはるお年寄も仰山おいやして、恭又斎さまのなさること、いちいち口出し遊ばさはりますし、口出しせんまでも、万事につけ、ふん、といった様子でわきを向かはる。私も実際に、『養子はまだ青二才やさかいな』とささやいてはるお言葉を耳にしたことも、さいさいありますにゃ。

そやさかい、世間のいうように、妙寿庵の亡きいよさまが恋しゅうて家を捨てはったていうよりも、恭又斎さまにとってはもうここにはいたたまれなんだ、というのがほんまのお気持やなかったか、と私、思うたりします。とくに誰が悪いんでもない、ま、突き詰めていうたら、家風の違いでしっくりいかなんだちゅうとこやおへんやろか。

生意気なようどすけど、やっぱり茶家の主は、幼い頃から茶湯の修行に打込んだお方やないと周囲も承知せえへんし、本人もつらいとこおすわなあ。恭又斎さまのお茶も、隅倉のお家なりに極めてはりまして、いまは妙寿庵を根城にして、堺から紀州まで結構お弟子さんも拡がって評判もよろしてお聞きしてます。このお後《うしろ》の家を離れはったら、恭又斎さまも一派の長として十分通用するお方どっさかい、これでもう八方納まったと考えて、どないどっしゃろ」

という不秀の説明を聞いて、由良子の長いあいだ胸の底に溜まっていた澱《おり》のようなものが次第に溶け去ってゆくような感じがあった。

母さまがきついお方やさかい、おとなし父さまを追出さはった、といううんやない、また父さまがよそのお家さんと恋に陥ち、家も妻子も抛《なげう》って出奔しやはった、というだけのことやない、という不秀の言葉は、どれだけ由良子の心を軽くしたことだったろうか。

二百五十年という長い歳月、一つ看板で通して来た家には、容易に人を容れぬ固陋頑冥《ころうがんめい》の厚い壁があり、膝を屈して幼時から修行を乞うた得々斎には寛恕《かんじょ》を示しても、成人して門をくぐった恭又斎は決して許さなかったのだと思うと、そこには人間の小さな感情のやりとりや小波などを超えた年月の悠久を、由良子は感じないではいられなかった。

しかし、なお不秀の補足するところによれば、やがて、由良子を手放さざるを得なかったいよの許に戻った夫の竹嶺は、ふとしたきっかけから事情を知り、再び本山の修験《しゅげん》道《どう》に入ってそのまま、妙寿庵を捨ててしまったのだという。打ちひしがれたいよの許へ、恭又斎は人目を盗んで通っていたらしいが、ひとつには、由良子の親としての二人は、互いに子の消息を知りたく知らせたく、その故にもせつない逢瀬《おうせ》を続けていたとも察せられ、そのうちもともと体の丈夫でなかったいよは胸の病いに犯され、床に就いて一年余ののち、敢《あ》えなくなったそうであった。不秀は、これだけはいうかいうまいか、と迷ったと前置きしながら、

「いよさまは、病いの床であんたはんのお名を呼び続けてはったそうどすにゃ。一目会わせて欲し、今生の別れに顔見させて欲し、と手を合わせるいよさまの前で、恭又斎さまもどれほどおつらい思いどしたやろ」

とここまで聞いたとき、由良子はこらえきれず、枕に顔を押当てて泣いた。

そのとき私は九つ、もう何も彼も自分のことは一人でし、読み書きも出来てた、呼んで下されば山崎までも歩いて行けたものを、と思えば涙とめどなく、声をしのべば背が大きく波打つのを、いまの慰めは不秀がやさしく撫《な》でてくれることであった。

「過ぎ去ったことはあきらめなはいや。あんたはんといよさまはしょせん三つの年までの御縁しか無かったんどっさかいなあ。我々の悟道でいうたら、茶湯の修行の前にはすべてを投げ出して惜しいことない、という覚悟がおす。私も同じ九つからここへ奉公さしてもろて、いっぺんも生れた家へ帰ってまへんのや。

もっとも父親《てておや》は植木の仕事でお伺いさせて頂いてまっさかい、たまに顔合わしますし、またお使いで伏見のお稲荷さんの近くまで行たときには家の前も通ります。そんなときでも『お母《か》はん、お元気どすか』と声かけるだけどすがな。おふくろは家からとび出して来て、『何年にいっぺんしか会わへんのに、口も濡《ぬ》らさんと通り過ぎるのかいな』と嘆きますのどすけど、べつに私、淋しいともつらいとも感じたことはおへん。

このたびあんたはんとは有難い廻り合わせで夫婦にして頂きましたけど、よう考えてみたら二人とも血の繋《つな》がった身内には縁が薄うおすなあ。そやさかい、さきざき二人でしっかり助け合うて行きまひょなあ」

という不秀の声音にはしみじみとした情愛がこもっていて、由良子も思わず涙ぐむほどに嬉しかった。

確かに、不秀も子供の頃から他人ばかりのなかできびしく育てられて来ており、それにしてはまことに心ばえの真っ直な、立派な気質のひとだと由良子はいまさらのように思った。その上、読み書きは仲から教わっただけなのに、よくものの読めること判ること、舌を巻くほどで、それについて不秀は、

「ここのお家のなかでしか通用せん人間どすがな。他のことは何も知りまへん」

と謙遜するが、年月重ねるにつれ、由良子はこのひとの妻になったしあわせをつくづくと感じるのであった。

二人が結婚した明治二十八年以来、家のなかには格別の事も起らず、台所は相変らずやりくりに追われながらも、これまでになくおだやかな日々を重ねている。猶子はそれを、

「皆、それぞれ納まるところへ納まったさかいな」

と解釈し、円諒斎は笑いながら、

「年いって、角《つの》がちびたんや」

という。

それを聞くと由良子は、決して納まるところに位置しているとは思えぬ仲の顔をつい盗み見してしまうが、気のせいかどうか、最近の仲の表情は、昔の鷹《たか》の目の鋭さはすっかり消え、柔和な光を浮べているように見える。子供のころ、仲の目差《まなざ》しが恐ろしくてならなかった由良子はほっと安堵の思いがするけれど、円諒斎の言葉は真鏡院ばかりでなく仲をも指しているらしく、角がちびるのが決して好ましいばかりでないという響きもある。

茶は、利休のいうように、「ただ湯をわかし、茶を点《た》てて、のむばかりなることと知るべし」の言葉どおり、構えず気張らず、しぜんに点前し、何気なく人をもてなすふうに見えて、その実、内に激しいものを秘めていなければならず、まして人に指導する立場にあるものなら、角は鋭く磨《と》いでいなければならぬ。仲の、年とともに磨滅してゆく

かに見える感覚に替って、これからは不秀が大いに働かねばならなかった。不秀は円諒斎に従って外廻りの仕事に加え、家の内の雑用すべてを引受けており、次第に、家中の誰も不秀にものをたずねなければ何も判らぬ、というふうになりつつある。

日清戦争が終った翌年の初夏、飯釜の麦飯をお櫃《ひつ》に移そうとして、由良子はその匂《にお》いがむっと鼻をつき、思わず杓子《しゃくし》の手を止めてわきを向いた。いかにも嫌な顔つきをしていたに違いなく、土間に手桶を据えて雑巾をゆすいでいた益子が近寄って来て、

「由良子さん、あんたややが出来たんと違う？」

と顔をのぞき込んだ。

由良子は真赧《まっか》になり、

「そんなんやおへん。ぬく御飯の匂いが吐きそうやっただけどす」

といい訳すると、

「悪阻《つわり》の始まりは、ものの匂いが鼻につき出すことどすえ。私もな、まだ誰にもいうてへんけど」

と帯の上に手をやって、

「いま三人目がここ」

とにっこりしてみせた。

そういえばもう半月ほど前から嗅覚がひどく敏感になり、何も彼も青臭く匂って、井

戸の水を汲んでいてさえ、釣瓶《つるべ》の苔の匂いにうっと胸を衝《つ》かれることがある。益子に指摘されれば確かにうなずかれ、それに兄嫁も身重と聞いて急に心がほどけた。

益子は十一月、由良子は十二月が産み月、と家中に拡がると、円諒斎はやれやれ、と嬉しそうにいい、猶子は、業躰《ぎょうてい》もすべてうちの血のもんになるのがいっちええ、と繁昌を喜ぶ。むろん誰よりも祝ってくれたのは不秀であって、

「この私の分身が、あんたはんのお腹にいるて不思議やなあ。利休さんもお子さんをこしらえてはりまっさかい、私にも授かったかてバチ当らしまへんやろなあ」

といい、いっそう由良子をいたわってくれようとする。

こういうとき益子の存在は有難く、自分の二度の出産経験を話してくれることで、ずいぶんと由良子は気持の安定が得られたように思う。とりわけ、東京生活の窮乏のなかで二人の子を生んだ益子は、覚悟のほどがよいというのか、おおらかというのか、

「何にも由良子さんは案じんかてよろしおすのえ。時節が来たらややはひとりでに出て来てくれますもん」

とゆったりしているが、猶子のほうは、

「あんた初めてやさかい、私の隠居所を産屋《うぶや》にしてお生みやす。くれぐれもいうときますけど、泣いたり声出したりしてはあかんえ。お産は、青竹ひしぐほどの力が要るて昔からいいますえ。考えてたよりはずっとつろうおっさかい、よう覚悟してなはい」

と、由良子の背を叩くようにして励ますのであった。

家のうちにはまだゆとりなど全くないが、生れる子供のために無理算段して少しばかりの綿のものを揃え、西陣から下働きの女子仕《おなごし》も入れて、まず十一月初旬、益子が女児を出産し、由良子は少し伸びて大晦日の前日、男子を挙げた。元気な赤子の泣き声が家の中に聞えるのはまことに喜ばしいもので、それもいちどきに二人も増えれば、円諒斎たちが東京から戻ったとき以来の賑やかさとなり、猶子から舜二郎まで故もなく興奮して忙しく立ち働くことになる。

女の子を次子、男の子を哲也と命名したのは円諒斎で、それについては不秀は宗匠の有難い思召し、とし、

「この子は、この家の申し子やと思いまひょなあ。あんたはんと夫婦になれなんだら授からなんだもんやさかいに」

とこの上もなく喜び、目の中に入れても痛くないほどの可愛がりようであった。

哲也が生れてのち、夫婦の絆《きずな》というものはいっそう深まったように由良子には思われ、夫という縋《すが》る者を持つしあわせ、子という血を分けたいとしい者を抱えるしあわせを、しみじみと感じるのであった。

後之伴家《うしろのばんけ》も、長い低迷から少しずつ脱け出してゆく気配があり、それというのも明治の改革がようやく落着き、さきも少しは見えて来て、さて一服、と膝を叩いて茶を飲む

ひとたちも増えつつあるということがある。それでも、西陣あたりから景気が上向いてこなければよい影響は得られないが、しかし後之伴家のひとたちには、もはや世相には屈していられぬという思いがあった。

東京生活で得た円諒斎の覚悟を実行に移すには、まずひんぱんに茶会をひらいて人を招き、茶の湯のよさを知ってもらうに限るが、それに就ては何よりも道具を集める必要が起きて来る。のちに、内同士でこの頃の零落を振返り、

「貧乏のしようが下手やったんや」

という説には皆、賛同を示したが、ならどういうふうに巧く貧乏が出来たかといえば、仲が断固として、

「それは道具屋どっしゃろなあ」

といい、

「あのとき、しっかりした道具屋を摑えてたら、うちが手放した物の行方も見届けられましたやろし、ほしたら後の手当も何とか出来たやろと思いますわ」

と悔んだが、それは正しく的を射ており、あの節、溺《おぼ》れる者の藁《わら》のたとえで見境いなく町の道具屋に処分を頼んだがために、四散した重代の道具を取戻すのには、極めて困難な見通しであった。

茶屋と道具屋とは切っても切れない関係にあり、後之伴家にも代々、よい道具屋が出

入りしていて、茶会の催しには何よりの相談相手でもあったのだけれど、ご一新前後にこういうひとたちも激動に見舞われて潰れたり、細くなったりで、頼む人はすでにいなくなっていたということもある。

道具の伝来とはなかなかに重要なもので、小さな裂地《きれじ》の残欠でも、これがどこで生れ、誰の手を渡って来たかという歴史は、保存、鑑定の上で見逃せぬ資料となる。古来、茶道具の由来とありか、また位置づけを記した記録はいろいろあり、よく知られているもので「中興名物記」などあるが、三伴家もそれになぞらえて「伴家中興名物記」、というものがある。

これには利休以来の逸品を、順位を決めて記載し、代々大切に伝えて来たのだけれど、二百五十年のあいだには、単に名をとどめるだけで実物は既に失せていることもあった。とくに四代喜叟《きそう》のときに手放した諸道具多く、それが廻り廻って、他家の茶会で思わぬ出会いをするときがある。喜叟は、不秀の言で明らかなように、下僕を斬殺した故にかげで「人殺しの喜叟」とも呼ばれたといわれ、いささか粗暴の性格でもあったと見え、酒手に困ると惜しげもなく道具類を手放して来たのだけれど、いまに伝わっているのであった。

後之伴家では、喜叟の例を教訓として来たことが、いまさら悔んでもいたしかたなく、倉の中に残っている書付けを調べてたとえ一品なりとも、もとに戻し、後之伴家の復権を示さねばならなかった。

哲也が生れてのち、父親としての自覚も加わってか不秀の活躍は目ざましく、新たに若い業躰二人も加わって、後之伴家の経営はほとんど不秀の手にゆだねられたかたちとなりつつあった。同時に不秀は、後之伴家伝来の道具で茶会を開くことに目標を立て、熱心に道具屋廻りを始めている。

一日、大徳寺へ用達しに行っていた不秀は、戻ってのち仲に、

「今日、聚光院《じゅこういん》の和尚さんに、耳よりな話聞きましたのやけど」

と、事実を確かめた。

それは、奈良法隆寺の隣の尼寺、中宮寺の門跡《もんぜき》は代々茶のたしなみがあり、得々斎の時代、男子禁制にもかかわらず、おしのびで出稽古を乞うていたという事実が先ずあった。当時、後之伴家には、綽名《あだな》を玄蕃《げんば》と呼ぶ、偉丈夫の女の業躰がいて、日頃はこの玄蕃が中宮寺に指導に行き、得々斎は折ふしのお伺いであったらしい。玄蕃とは、芝居の「寺子屋」に出てくる赤面の名だが、本名の秀福と呼ぶより、こちらのほうがぴったりだったと知る人はいう。

明治十年に得々斎が亡くなったとき、門跡は深くその死をいたみ、供養のためにと玄蕃を通じて寺に伝わる古銅の経筒を後之伴家に贈った。経筒は、本来経を納めるものだが、茶家でこれを手に入れた場合、追善や、茶匠忌などの仏事の茶会に使い、蓮《はす》や、蓮の実、また菩提樹などの仏花を生けるのを習わしとしているのであった。

贈られた経筒は、「文治元年一月二十五日有済師納之」と底に彫銘があり、共蓋とともに伝世した貴重なもので、花生《はないけ》にはまことにほどよい寸法であったという。聚光院の和尚は、

「これを後之伴家が亡き宗匠のご供養に使わはりましたんは、わしの覚えてる限りで、一周忌、三周忌の限りやおへなんだんどすやろか。そのあとお後《うしろ》さんはどうやら道具屋に手放さはったらしいて、それが長いあいだには人の口から口へと伝って行て、中宮寺さんの耳に届いたらしおすのやな。

ほしたらな、門跡さまがえろう怒らはって、仰山お金積んで道具屋から買い戻さはったて聞きました。時代がついてなかなかええ経筒どしたえ。わしいまでもよう覚えてますけど」

といい、仲はそれについて、

「いまさら隠してもなんにもならへんさかい、話すけどな、それはほんまどす。あんたがここへ来て、一、二年くらい経ってからやったかいなあ。倉のなかの道具は値打ちもんから順に手放して行ったんやけど、最初のころ経筒と、たしか『あざみ』の銘のある平茶碗、それから同じ赤楽で『一文字』、これは『伴家中興名物記』にも載ってます。この三つを払いました。

そのときの道具屋はたいして目利きも出来ひん素人どしたけど、さすがにええ値で引

取りましたなあ。それで一年ほど、うちは息を継ぎましたさかいな」

と、過ぎた日を語るのを聞いて、不秀はその場にいたたまれないほど腹立たしかったという。

日頃もの静かな不秀は珍しくその夜、激して由良子に、

「この三つがあったらなあ。さすがお後《うしろ》や、利休さんの末裔《まつえい》や、とうちも人にいうてもらえるのに、と思うたら、口惜しいてかないまへんのや。

わしな、これからどうぞしてこの三つを取返してみせる、と心決めましてん。もともとこの家に伝わったもんやさかい、物にも心ちゅうもんがあったら、必ず戻ってくると思いますのや」

と話すのへ、由良子はいささかの不安もあり、

「そやけど、うちにそれだけのお金がおすのどすやろか」

と危ぶむと、

「お金があったら話は早うおす。ないとこをわしの真心で補うてみせんなりまへん」

と、勇み立っている様子であった。

これまでも道具屋廻りをしていた不秀だけれど、まもなく日中はほとんど家にいなくなり、日暮れには疲れた顔つきで帰ってくる。道具屋同士の連絡と通報は早いらしいが、不秀のように金を持たない客に耳よりな話を明かすはずもなく、骨折損ばかりではない

かとわきで眺めている由良子は気にかかる。

明治三十一年の五月、不秀はちょうど一年前開設された奈良鉄道七条の停車場から汽車に乗り、奈良の町へ出掛けて行った。

目的は、中宮寺から後之伴家への経筒の授受に立会ったという、かの玄蕃に会うためで、いまは油坂の裏町にひっそり住んでいるという。玄蕃は幼い頃から後之伴家で修行のあと、比較的早い時期に、奈良に後之伴家の出張所を作るようなかたちでこちらに移り住んでいたが、本家の零落とともに音信も途絶えているのを、今日不秀は勇を鼓して訪ねて来たのであった。

道々指折り数えてみると、得々斎生きてあれば今年は八十九歳のはず、してみると玄蕃もとうに八十歳は越していることになる。不秀は、一度だけ後家《うしろけ》で会ったような覚えがあるだけで、ほとんど初対面に近かった。そろそろ陽《ひ》ざしの強くなって来た奈良の町で、ようやく尋ね当てたその家は、やはり門口に後之伴家、茶道教授と小さな看板はかかっているものの、あらわれたひとはかの赤面の大兵の面影もいまはなく、一まわりも二まわりも小さくなっている老婦人であった。

姓名を述べると、いぶかりながらも座敷へ通してくれたが、不秀が突然の訪問を詫びたあと、実は古い話で恐れ入りますのやけど、と前置きして、口ごもりつつも、

「いまからもう二十年以上も昔のことどす。お後の先々代さまがみまかられましたとき、

ご供養にと中宮寺の門跡さまから賜わりました古銅の経筒のお話どすのどすけど。
こないな勝手なこと、お頼みできた義理やおへんのどすけど、どないどすやろ。いま門跡さまのお手許に戻ってるちゅうその経筒を、秀福さまのお口添えで、も一度、我が後之伴家へ頂かしてはもらえまへんやろか」

と手をつき、平伏しておずおずと申述べると、いままで眠ったように曖昧だった玄蕃の目つきが俄《にわか》に光を帯びて輝き出し、大音声《だいおんじょう》で、

「後之伴家は、いまごろになってようもようもそんなこといえるえな。

幕末以来の茶道の衰退はいずこも同じやったのに、後之伴家はだらしないことに、何も彼もほかしてしもて、世間に生恥さらしてしもた。由緒ある道具ばかりか、我々もと業躰の窮状をさえ、かえりみてはくれなんだ。

落目になっても、家さえしっかりしてたら、後之伴家に縁ある者は皆、救われたはずや。我々がどないにつらい目に会うたか、後之伴家は誰ひとり知らへんやろ。我々はもうとうに家元を見限ってる。

いまさら、あんたどの面下げてここへ訪《たん》ねて来はったんや。足もとのあかいうちに、とっとと帰りなはい。さあ、おかいり」

（上巻了）

文春文庫

松《まつ》風《かぜ》の家《いえ》（上）

定価はカバーに
表示してあります

1992年9月10日　第1刷
1999年11月15日　第12刷

著　者　宮《みや》尾《お》登《と》美《み》子《こ》

発行者　白川浩司

発行所　株式会社　文藝春秋

東京都千代田区紀尾井町3—23　〒102-8008
TEL　03・3265・1211

落丁、乱丁本は、お手数ですが小社営業部宛お送り下さい。送料小社負担でお取替致します。

印刷・凸版印刷　製本・加藤製本

Printed in Japan
ISBN4-16-728704-8

文春文庫　フィクション

宮尾登美子　鬼龍院花子の生涯
宮尾登美子　松風の家　上・下
宮尾登美子　菊《きく》籬《まがき》
宮尾登美子　陽暉楼
宮城谷昌光　天空の舟　小説・伊尹伝　上・下
宮城谷昌光　王家の風日
宮城谷昌光　孟夏の太陽
宮城谷昌光　沈黙の王
宮城谷昌光　長城のかげ
宮部みゆき　我らが隣人の犯罪
宮部みゆき　とり残されて
宮本　輝　星々の悲しみ
宮本　輝　青が散る

宮本　輝　春の夢
宮本　輝　愉楽の園
宮本　輝　海岸列車　上・下
宮本　輝　真夏の犬
宮本　輝　葡萄と郷愁
宮本　輝　彗星物語
宮本　輝　胸の香り
三好京三　子育てごっこ
三好　徹　聖少女
向田邦子　あ・うん
向田邦子　隣りの女
向田邦子原作　せい子・宙太郎　上・下
向田邦子原作　眠り人形